4·00

# NOCES
# VILLAGEOISES

NICOLE FILION

# NOCES VILLAGEOISES

ROMAN

ÉDITIONS TROIS-PISTOLES

INÉDITS

Éditions Trois-Pistoles
31, route Nationale Est
Trois-Pistoles (Québec)
G0L 4K0
Téléphone: 418-851-8888
Télécopieur: 418-851-8888
Courriel: vlb2000@globetrotter.net

Conception graphique: Roger Desroches
Révision: Monique Thouin, Victor-Lévy Beaulieu
Couverture: Raymond Bonin

Les Éditions Trois-Pistoles bénéficient des programmes
d'aide à la publication du Conseil des Arts du Canada,
du ministère du Patrimoine (PADIÉ), de la Société de
développement des entreprises culturelles du Québec
(SODEC) et du programme de crédit d'impôt pour
l'édition de livres du gouvernement du Québec
(gestion Sodec).

EN EUROPE (COMPTOIR DE VENTES)
Librairie du Québec,
30, rue Gay-Lussac
75 005 Paris France
Téléphone : 43 54 49 02
Télécopieur : 43 54 39 15

ISBN: 2-89583-015-0
Dépôt légal: Bibliothèque nationale du Québec, 2002
Dépôt légal: Bibliothèque nationale du Canada, 2002

*Nous sommes rattrapés par des bonheurs inattendus et par des malheurs imprévus.*

(Virginia Woolf)

## AVANT-PROPOS

*Est-ce ainsi que naissent les guerres ?*

*De la fenêtre de la cuisine, j'observe le voisin, lui-même debout à sa fenêtre en train de guetter Marjorie (4 ans) qui se promène sur son tricycle. À peine a-t-elle mis la roue sur le petit chemin qu'il fonce sur elle : « Va-t-en chez vous, petite sacripante ! » Et la petite sacripante s'en retourne chez elle, les yeux pleins de larmes. Sa mère (Carole, 30 ans) s'indigne. « Prends-toi-z'en donc aux gens de ton âge ! » crie-t-elle au voisin. Elle n'a pas la langue dans sa poche, Carole ! Elle ne va pas se laisser manger tout rond comme les LeBeau ! Le voisin n'est pas satisfait pour autant. Il envisage madame Soulard (56 ans) qui revient de l'épicerie, les bras chargés de sacs. « Ton chien est mort », lui dit-il. Le chien (12 ans), c'est la moitié de sa vie, à madame Soulard ! Elle laisse tomber ses paquets et se met à courir. Elle court, elle court ; jamais je n'aurais cru qu'elle puisse courir si vite. Un jappement joyeux l'accueille chez elle. Le chien est vivant, bien vivant. Les sacs, par contre... Les boîtes de sardines, le lait, le pain, les œufs, sont éparpillés sur le trottoir. Il manque le rôti de bœuf. « Ni vu ni connu », ironise le voisin, et il monte dans sa voiture, ouvre le coffre à gants, sort ses verres fumés. Partira ? Partira pas ? Les arbres retiennent leur souffle. La voiture s'engage sur le petit chemin. Lentement. Sûrement. Virage à gauche, un autre à droite, ça y est! Il est parti. Les cloches se mettent à sonner, libérant une flopée de vieux qui s'égaient de part et d'autre de la rue principale. Quelle belle journée! Et je sors battre le tapis. (Qu'est-ce qui me prend?)*

*Dix minutes plus tard, le voisin est de retour. À la recherche de nouveaux terrains d'affrontement. Prudence oblige, madame Chateau (62 ans) déménage sa chaise à l'autre bout de la galerie. En face, sur le trottoir, Simone (37 ans) et Henri (34 ans) échangent une dernière poignée de mains. Ces deux-là s'entendent comme larrons en foire. «C'est pas bientôt fini, ces effusions?» lance le voisin. Il va, il vient, l'air mécontent; écrase un ver de terre, se penche pour ramasser un bout de papier, non sans jeter un regard haineux de ce côté-ci de la clôture, comme s'il me jugeait responsable de ce bout de papier qui traîne sur sa pelouse.*

*L'arrivée de monsieur Talbot (75 ans) crée diversion. Il stationne sa voiture à côté de la haie d'aubépines. Un peu trop près au goût du voisin qui se précipite dans sa remise, en ressort avec une pancarte qu'il tient haut et fort. «Attention à la haie!» est-il écrit sur sa pancarte. «Va-t-en chez le diable!» réplique monsieur Talbot. Sa femme (73 ans) lui fait signe de se taire. Ne pas mordre à l'hameçon surtout. «Si c'est pas malheureux d'voir ça», grogne Étienne Sans-Chagrin (51 ans) en train de réparer sa bicyclette un peu plus loin. «Je vais t'en faire un malheureux, moi!» rétorque le voisin. «Pas un mot», ai-je chuchoté aux enfants qui revenaient de l'école, sur ces entrefaites.*

*Le voisin glisse quelques mots à l'oreille de sa femme. Elle sourit. Je la vois qui s'entortille dans le fil du téléphone. Les policiers rappliquent en moins de deux. Embarquent tout ce qui bouge sans distinction d'âge ni de sexe ni de race. Disparu, Étienne SansChagrin! Volatilisés, monsieur et madame Talbot, Simone, Henri, mesdames Chateau et Soulard, Carole, Marjorie, le chien, et même Françoise Fougère (41 ans) qui passait par là et que le voisin a refoulée avec les autres. J'ai réussi à échapper à la rafle, mais pour combien de temps ? « Le mauvais droit ne vaut-il pas le bon ? » crie le voisin, déchaîné.*

*Martin dit que j'ai l'imagination trop fertile, que je transforme la moindre escarmouche en drame. En mélodrame. En psychodrame.*

*« Tout ça n'est pas très grave. »*

*« Laissons aux lecteurs le soin d'en juger », lui dis-je.*

Écoutez : je vais essayer d'être claire, concise, ce qui ne va pas de soi, cette histoire est si rocambolesque ! En 1983, j'ai acheté cette petite maison au cœur de la ville. Dommage que nous ne soyons pas à la télévision, je pourrais vous montrer la photo ; j'en ai justement une devant moi. Elle a été prise par Martin au moment où nous avons décidé de vendre. (Le chien à l'avant-plan est un Golden Retriever de neuf ans. Il ne fait pas partie de la transaction.) Quand j'ai donné la photo à l'agent immobilier, ce dernier s'est écrié :

« Oh, mais ça ne convient pas du tout !

— Comment, ça ne convient pas ? Est-ce que ça n'est pas joli, cette photo ?

— Joli, joli, évidemment que c'est joli, mais on ne la voit pratiquement pas, la maison, avec tous ces arbres ! Comment voulez-vous...

— Vous n'aimez pas les arbres ?

— Oui, j'aime les arbres, mais... »

J'ai fait ni une ni deux, j'ai repris ma photo et je suis revenue chez moi. « Nous allons la vendre nous-mêmes, cette maison », ai-je dit à Martin.

Il y a longtemps de cela. Depuis, nous avons pris toutes sortes de photos, en été, en hiver, avec ou sans le chien, avec ou sans les arbres, mais personne n'a voulu se porter acquéreur. Pourtant, lorsque nous avons emménagé ici, en 1983, nous étions convaincus d'avoir acheté la plus jolie maison de toute la ville. «Regardez-moi ces fenêtres avec leurs carreaux bleus, leurs carreaux jaunes», disions-nous aux parents et amis. Le lierre avait dévoré la galerie, l'escalier se pliait en quatre pour ne pas monter au deuxième. Les araignées nous pendaient au bout du nez. Un enchantement, un véritable enchantement ! Mais j'ai déjà beaucoup écrit sur cette maison, je ne vais pas recommencer. Oui, je suis écrivain. Enfin, si je ne le suis pas, c'est tout comme ! Le fait est que je ne saurais me passer d'écrire. Il m'arrive de croire que je ne saurai pas davantage me passer de ma maison quand le moment sera venu. Bah ! chaque chose en son temps. Le chien aboie, la caravane passe. Tenez : si je ne peux vous la montrer, la maison, je peux au moins vous la faire entendre. Restez un peu tranquilles, c'est fou ce que vous êtes grouillants ! Fermez les yeux, concentrez-vous ! Ça y est ? Vous êtes prêts ?

...................................................................................

...................................................................................

...................................................................................

Troublant, n'est-ce pas ?

C'est le silence de la chambre quand je n'arrive pas à dormir, la nuit. Trop de soucis. À cause de cette histoire abracadabrante, entre autres. Il y a aussi le silence du bureau lorsque j'écris et que ça déboule, et que je m'arrête tout à coup, comme effrayée par ce que je viens d'écrire, un bataillon de phrases qui défile devant moi sur l'écran, la vérité, rien que la vérité, juste la vérité.

Ce léger bruissement? Une mise en demeure, une menace dans les arbres. Signe que la lune se lève et qu'elle ne nous fera pas de quartier. C'est généralement à cette heure que le train entre en piste. Cette maison est parfois si mélancolique que le chien grimpe sur le capot de la voiture et se met à hurler à la vie à la mort.

Vous allez me dire, le chien, le train, ça n'a rien à y voir, mais si, au contraire! Ne suis-je pas écrivain? Et puis je l'aime, moi, cette maison! C'est ce que j'ai dit au P'tit Fouinard*, l'autre jour, mais il n'a rien voulu entendre. *Avant d'acheter une maison, informe-toi du voisin,* dit le proverbe. Nous n'en avons rien fait. Nous étions si naïfs! Nous avons longtemps cru en la bonne foi des différentes parties. Il y avait des dizaines de portes dans cette maison. Des portes, ça mène généralement quelque part, comment soupçonner que nous nous retrouverions un jour dans une telle impasse? À qui s'informer des voisins d'ailleurs? Aux voisins eux-mêmes? Ils n'auraient pas hésité une seconde: «Nous sommes tous très amicaux, auraient-ils dit. Et vous-mêmes?»

Nous-mêmes. C'est là que le bât blesse. Il nous arrive d'être bruyants. En ce qui me concerne, je me serais contentée d'une tondeuse à gazon manuelle comme celle que nous avions à la maison quand j'étais petite, mais Martin ne l'entendait pas de cette oreille. «Au moins, vous n'avez pas de barbecue», a conclu Gabriel, un ami à nous qui déteste et les tondeuses et

---

* Le P'tit Fouinard. LaTerreur de son vrai nom. L'un des principaux acteurs de cette fable. Né en 1950. Des ancêtres pilleurs de lots, si vous voyez ce que je veux dire.

les barbecues. Oh, et puis zut ! nous n'étions même pas là quand les troubles ont commencé. Ils ont commencé bien avant notre arrivée, les troubles ! En 1917 déjà, on vidait les forêts, on rasait les collines, on bâtissait des églises. Nos voisins, eux, se sont établis en 82, un an avant notre arrivée. Ils n'y sont pas allés avec le dos de la cuillère ! Ils ont tout de suite exigé qu'on abatte le chêne. Ils ont mis des rideaux aux fenêtres et se sont assis sur la galerie. « Bonjour monsieur, bonjour madame, comment allez-vous depuis la dernière fois ? » lancent-ils à hue et à dia. On leur donnerait le bon Dieu sans confession. Lui surtout, avec ses cheveux blancs. D'où tient-on que les cheveux blancs soient signe de sagesse ? Vous devriez le voir tenir le panier quand Madame étend son linge. Quand Madame passe la balayeuse, Monsieur suit à l'arrière avec le fil ; on dirait un chiot ! Pour un peu, il tiendrait le soleil quand elle se fait bronzer. Ce n'est pas le temps qui lui manque, il est responsable de la cagnotte pour les billets de loterie, à l'école. J'ai longtemps souhaité qu'il gagne le gros lot et nous laisse vivre en paix, mais ça ne s'est pas produit. Les choses ne se produisent jamais comme on voudrait. J'ai souhaité qu'il tombe en bas de son toit et se casse le cou, mais il n'est pas tombé en bas de son toit. « Nous n'avons pas de chance », a dit Martin, qui voit tout en noir, ces temps-ci. « Resaisis-toi, lui dis-je. Un homme sombre est son propre ennemi. »

Quand les troubles ont commencé, je suis allée voir l'avocat, je lui ai montré la photo et j'ai dit :

« Regardez ! Nous avons acheté cette maison, il y a quelques années.

— Belle propriété », a-t-il répondu. L'air gêné.

Je n'ai pu m'empêcher de sourire. Une propriété ? Quelle ânerie ! Ma maison, c'est autre chose qu'une propriété, tout de même ! C'est le domaine des chats, des chiens, des enfants, c'est la proie du désordre, c'est l'anarchie, tout ce qu'on voudra, mais ça n'a rien à voir avec une propriété ! Comme si j'avais une tête à avoir une propriété...

Naturellement les enfants, le désordre, l'anarchie, je ne pouvais lui expliquer tout ça, à l'avocat ! Il n'en avait rien à foutre, vous comprenez ? Alors, j'ai fait comme si de rien n'était et j'ai poursuivi mon petit exposé. Je m'efforçais d'être claire, concise, ce qui ne va pas de soi, cette histoire est si rocambolesque ! J'ai commencé par dessiner un carré pour représenter la maison, bien qu'elle ne soit pas vraiment carrée, en fait ; c'était juste pour qu'il comprenne. Ensuite, j'ai tracé une ligne devant, une autre à droite, et j'ai dit :

« Il s'agit d'une maison enclavée ; j'y ai accès par ces deux chemins que vous voyez là. »

Je sais, ça peut paraître curieux, mais quand nous avons acheté la maison, nous considérions comme un avantage le fait qu'elle soit enclavée. Ainsi, nos enfants ne traîneraient pas dans la rue comme ceux des autres, pensions-nous. Ils ne risqueraient pas d'être happés par un chauffard ou un ivrogne. Vous seriez étonnés de voir la quantité d'ivrognes et de chauffards qu'on peut retrouver dans une petite ville comme la nôtre. Des mâles, pour la plupart. De petite taille. Un mètre cinquante-cinq, soixante-cinq tout au plus. Le dimanche, ils font crier leurs pneus dans le stationnement du centre d'achats. Une façon de s'affirmer, semble-t-il. L'avocat de la partie adverse était un homme de petite taille. Fallait le voir se hisser sur la pointe des pieds quand les choses n'allaient pas à son gré !

« Et alors ? Quel est le problème ? s'enquit le mien, d'avocat.

— Le problème, c'est que ces deux chemins ont changé de propriétaires récemment. Notre voisin de gauche a acheté celui d'en-avant, le chemin de droite a été vendu à des promoteurs immobiliers. Des spéculateurs fonciers. Au nombre de trois. Réunis dans une compagnie à numéros. (Québec inc.) Toutes les mêmes, ces compagnies à numéros ! Des fautrices de troubles ! Elles permettent aux gens de se déresponsabiliser de leurs actes, disait un spécialiste, l'autre jour, à la télévision. Il n'avait pas tort. Je suis bien placée pour le savoir : quand les troubles ont commencé, LePoète s'est excusé en disant : « C'est pas moi, c'est la compagnie ! » Et qu'est-ce que c'était que cette compagnie ? Je vous le donne en mille. « Un numéro, rien qu'un numéro », a-t-il dit. Lui n'aurait jamais fait une chose pareille. « J'aime la poésie, moi ! Baudelaire, vous connaissez ? »

Nous l'avons surnommé LePoète. En réalité, il s'appelle LaVertu. Roger LaVertu. Né en 1954. Des parents catholiques, si vous voyez ce que je veux dire. Avec de telles origines, on se serait attendu à ce qu'il éprouve au moins l'ombre d'un remords, mais non! Il est retourné chez lui satisfait, l'âme en paix, comme on dit parfois. Mais peut-on en être vraiment sûr?

« Sûr de quoi? a demandé l'avocat.

— De sa satisfaction? Peut-être qu'il aime vraiment la poésie? Peut-être qu'il n'a pas compris qu'il nous causait de graves ennuis, des préjudices et cetera.

— Possible. On surestime souvent nos vis-à-vis. La plupart des gens sont beaucoup moins intelligents qu'on ne serait porté à le croire au premier abord. »

Ne vous y méprenez pas: cette dernière réplique n'est pas de l'avocat. Les dialogues avec moi-même, c'est une véritable manie chez moi. Une façon comme une autre d'essayer d'y voir clair. Pas juste à propos de cette histoire, à propos de la vie en général: les hommes, les femmes, l'amour, la guerre, les maladies héréditaires. Évidemment, ça risque d'être un peu difficile à suivre, mais vous vous y ferez sûrement, à la longue. Suffit d'être attentif! Je compte d'ailleurs ajouter des dessins, des diagrammes, des notes de frais.

Chez l'avocat, j'ai laissé tomber les détails concernant LePoète et j'ai poursuivi mes explications. J'ai ajouté deux triangles de chaque côté du carré afin de bien situer les propriétés de tous mes voisins, anciens et nouveaux. Je voulais m'assurer qu'il comprenne, la plupart des gens sont beaucoup moins intelligents qu'on ne serait porté à le croire, au premier abord. Ce n'était pas le cas de l'avocat, bien sûr! « Vous vous êtes certainement rendu compte que je saisis assez rapidement de quoi il retourne », a-t-il dit à la fin de notre première rencontre. Ce dont je m'étais surtout rendu compte, c'est que j'avais affaire à un vantard. Intelligent, mais vantard ! Que voulez-vous ! Un tel est vantard, l'autre menteur, nous ne savions plus où donner de la tête, nous ! Nous avons un beau-frère qui est avocat, l'un de nos neveux l'est également, mais ça ne fait pas de nous des experts, et puis peut-être avait-il quelques raisons de se montrer si fier, cet homme ! Peut-être les avait-il gagnées, ses épaulettes !

« Je prends cent cinquante dollars l'heure », a-t-il prévenu.

C'est à ce moment-là que la secrétaire a frappé à la porte ; elle a demandé si nous désirions du café. J'ai refusé tout net. J'avais repéré la cafetière en entrant. Un Silex plein de vieux café bouilli. Je ne bois pas de ce café-là, moi ! L'avocat, lui, a accepté le café — ces gens-là acceptent n'importe quoi — et j'ai continué de lui décrire la situation critique dans laquelle nous nous trouvions, le voisin de gauche qui avait érigé un muret nous empêchant de circuler malgré une servitude en bonne et due forme. Quant à nos voisins de droite, ils n'avaient encore érigé aucun mur, mais ce n'était qu'une question de temps, car ils refusaient catégoriquement de reconnaître nos us, droits et coutumes. Je regrette pour les profanes, mais je dois dire les choses telles qu'elles se présentent : il y a des fonds servants, des fonds dominants, des requêtes en jugements déclaratoires, des injonctions, permanentes ou non, des défendeurs, des demandeurs, des honorables et ainsi de suite. (Quoique, des honorables, je n'en aie pas rencontrés tellement, en fin de compte !) Que le lecteur ne m'en tienne pas rigueur, je verrai plus tard s'il y a lieu d'inclure un glossaire. Pierre qui roule n'amasse pas mousse, dirait l'avocat de la partie adverse. Disons pour résumer que nous avions acheté une maison enclavée avec deux servitudes de passage clairement indiquées sur le certificat de localisation, mais la notairesse qui avait rédigé le contrat ne s'était pas donné la peine de vérifier les titres. Elle s'était contentée de les recopier en y incluant les erreurs du passé. Au dire de l'arpenteur, les notaires ne font rien d'autre que recopier les erreurs du passé. Question erreurs, la nôtre ne s'est pas privée ! Elle en a recopié pour plus de sept cent cinquante dollars, mais c'est pas clair, tout ça !

« Mais si, c'est elle », a dit Martin qui lit par-dessus mon épaule.

« Allons, pressons », a dit l'avocat.

Je vis qu'il avait mis son compteur en marche.

« Vous nous voyez démunis, lui dis-je. Cette affaire est d'un compliqué...

— Certaines gens ont parfois intérêt à embrouiller les choses, si vous voyez ce que je veux dire, a dit l'avocat en jetant autour de lui des regards inquiets. Vous avez des papiers ? »

J'en avais, des papiers ! En quantité impressionnante. À une certaine époque, en ville, il y eut un véritable chassé-croisé de gens à la recherche de papiers
compromettants. En sortant de l'Hôtel de ville, je ren-
contrais l'arpenteur adverse venu vérifier ses dires. Je
tombais ensuite sur le voisin qui se rendait au greffe
et lorsque je me présentais au greffe à mon tour, je
trouvais l'employée qui m'attendait, pièces en mains.
« Je savais que vous viendriez », disait-elle. Les secré-
taires faisaient des photocopies, la notairesse s'entendait numéro un avec la compagnie. C'est ainsi que
chacun de notre côté nous avons réuni les mêmes
pièces justificatives. « C'est quand même curieux que
les justifications de l'un servent également aux autres », a dit Martin.

J'ai sorti les papiers de mon porte-documents et
je les ai déposés sur le bureau de l'avocat. Il y avait là
de vieilles photographies aériennes datées de la fin
des années trente, des relevés de cadastre, des actes
d'achats écrits à la main, tapés à la machine, annotés
dans les marges, pliés dans les coins. Le pauvre fut
enseveli. Nullement déconcerté, il entreprit d'examiner et les uns et les autres, relevant un paragraphe
par-ci, une phrase par-là. « Les voilà, vos droits de
passage », finit-il par dire en montrant un chemin mitoyen tendu comme un fil entre un lieu et un autre.

Mon cœur s'est mis à battre.

«Vous croyez vraiment?

— J'en suis persuadé. Allons, cessez de vous inquiéter et dites-moi tout. Vous avez sûrement quelque anecdote à me raconter?»

J'en avais, des anecdotes! En quantité impressionnante. D'abord, nos voisins ne supportaient pas de nous voir nous amuser. Si nous jouions au ballon-chasseur, ils restaient là à surveiller et quand le ballon se retrouvait dans leur cour — par mégarde ou inadvertance, il ne viendrait à l'idée de rien ni personne d'aller là de son plein gré —, ils refusaient systématiquement de le rendre. Ça n'a l'air de rien, mais c'est des dizaines de ballons, des balles de tennis, des volants de badmington, des fléchettes, des dards, des freezbees qui ont disparu. Ensuite, ils ont exigé qu'on attache le chat. Et ce n'est pas le pire, le pire c'est qu'ils n'aiment pas la musique. Dès que je mets un disque, ils se lancent dans les rénovations. En avant les marteaux, la sableuse, la scie sauteuse! Hourrah, la scie sauteuse! De drôles de gens, monsieur l'avocat, de bien drôles de gens! La fois où nous leur avons offert des morilles, ils ont cru à une tentative d'empoisonnement; un peu plus et nous étions condamnés alors que ce sont eux qui devraient être condamnés. Ils racontent des histoires horribles, des enfants décapités, jetés aux poubelles. Moi, je me dis qu'il n'y a pas de fumée sans feu. Sans oublier la reine-mère... Chaque été, elle vient faire son tour. Il lui arrive de rester plus d'un mois. Elle leur fait du poulet à la Kentucky et ça sent la friture partout. Le soir, après le souper, ils font une promenade; pour peu qu'on en fasse une aussi, on finit toujours par les rencontrer; c'est extrêmement désagréable. Les gens se plaignent, mais les autorités refusent d'intervenir. Elles disent que quand la rénovation va, tout va.

« Je vous en prie, limitez-vous à ce qui a trait à notre affaire », a dit l'avocat.

Me limiter ! Je veux bien me limiter, mais est-ce qu'ils se limitent, eux ? Une tracasserie n'attend pas l'autre. Un matin de juillet, un beau matin ensoleillé de juillet, quelle ne fut pas notre surprise de voir notre voisin se présenter à nos bureaux ! « Permettez, Maître, il faut d'abord que je vous dise : Martin et moi, nous sommes des artistes — enfin un genre d'artistes —, et nous avons installé nos bureaux à la maison. Simple question d'économie. Non que nous soyons entièrement dépourvus de moyens financiers ou autres, disons que nous ne sommes pas très portés sur les biens de ce monde. Martin est peintre ; je suis écrivain. « Ça explique tout », nous a-t-on dit à la caisse populaire. En conséquence, nous avons limité nos investissements à l'achat d'une table à dessin. Nous l'avons installée dans une chambre au rez-de-chaussée. Pour nous rejoindre, nos clients devaient traverser la cuisine, longer le couloir, enjamber la balayeuse. « C'est comme une course à obstacles », ont-ils dit. J'ai tout de suite compris qu'ils n'aimaient pas affronter les enfants qui jouaient au hockey dans le salon tous les après-midi, après l'école. D'autres se sont dits incommodés par la musique de Guillaume*. Nous avons dû

---

* Oui, nous avons deux fils. Tout à fait magnifiques, d'ailleurs. Le cadet écrit des scénarios de film d'action, l'aîné joue de la batterie dans un groupe rock. Il se doit de pratiquer régulièrement, quelle que soit l'heure du jour ou de la nuit.

réviser nos positions. Transporter nos pénates dans le sous-sol. Les travaux d'aménagement ont été confiés à un entrepreneur local. Ça n'a pas été trop mal fait, dans l'ensemble, sauf que le prélart est déjà tout taché. Du rouge. «La colle, peut-être», a dit Martin, mais si j'étais vous, je ne me fierais pas trop à ce qu'il raconte; il ne connaît absolument rien à la construction domiciliaire.

Reste qu'il n'est pas mal du tout, ce bureau! L'été, je laisse la porte ouverte afin que le soleil puisse aller et venir à sa guise. Vous pensez bien que le vent ne se gêne pas non plus ! Il traîne avec lui un mélange de sable, de terre, de gravier, de pollen. La table lumineuse, les étagères, les dictionnaires, tout est enseveli. J'ai dû ranger les papiers fins dans une armoire fermée à clef. « Y a une araignée dans le disque dur! J'ai jamais vu ça!» a dit le technicien, l'autre jour. Évidemment, il suffirait de fermer la porte pour que tout rentre dans l'ordre, mais je ne déteste pas voir la nature reprendre ainsi ses droits. J'aime ce qui est organique: les fleurs d'érables, les feuilles mortes, les vers mous. Ça ramène les choses à leur place. Poussière tu es, poussière tu resteras. Et quand la fatigue se fait sentir, je n'ai qu'à m'asseoir sur le remblai de pierre qui borde l'entrée pour me sentir toute ragaillardie. J'aime me faire chauffer la couenne. Un vrai lézard domestique! Y a pas plus domestique que moi, d'ailleurs!

Je me laisse emporter, je crois. *Taci, taci, piu nulla.* La disette. Le dénuement. Voilà qui constituera pour moi un excellent exercice. Ne suis-je pas écrivain? Un écrivain qui, disons-le, n'a pas l'habitude de ménager ses phrases. En fait, ce que j'essaie de vous expliquer,

$her Maître, c'est qu'un matin ensoleillé de juillet, notre voisin, Fernand Petitête, s'est présenté à nos bureaux avec une offre «que nous ne pourrions pas refuser», a-t-il dit. Pensez si nous étions inquiets! À bon escient: L'infâme voulait troquer notre droit de passage contre un maigre lopin de terre. «J'aimerais m'agrandir, nous a-t-il confié, donner de la valeur à ma propriété.» (Vous auriez dû le voir se gonfler d'orgueil au mot *propriété*.) Ce besoin était d'autant plus criant qu'il avait maintenant de la descendance; les filles ne cessant de procréer à gauche et à droite, sa femme et lui devraient s'occuper de la marmaille. Il souhaitait aménager un espace à cet effet. Disposer un carré de sable. Des balançoires. De toute évidence, il jugeait sa proposition fort avantageuse et entendait en faire également profiter la voisine d'en-avant.

Comment? Je ne vous ai pas parlé de la voisine d'en-avant? Oh, la la, j'aurais dû pourtant, j'aurais dû! Il faut m'excuser: le soliloque est un genre difficile. Quoi de plus normal que je commette quelques impairs. «Des maladresses, des délits mineurs», ai-je dit à l'avocat. (J'essayais d'utiliser des termes qui lui soient familiers. À 150 $ l'heure, j'avais intérêt à ce qu'il comprenne vite, l'avocat!) La voisine d'en-avant, repris-je, — vous avez là ses actes notariés — possède également une servitude de passage sur le petit chemin. Autrement dit, il a fait d'une pierre deux coups, le voisin, lorsqu'il a érigé sa clôture! Deux méchancetés pour le prix d'une. Un seul crime, deux victimes: nous et la voisine d'en-avant. «Sans compter vos ayants droit», disait le voisin en se frottant les mains de satisfaction. Je voyais ses yeux qui brillaient dans le noir. «Les loups sont entrés dans Paris», ai-je dit à Martin qui m'a suggéré d'insérer une courte description des personnages. «Une sorte de lexique, a-t-il expliqué. Tout cela est un peu brouillon.»

Eh bien, soit. Je m'exécute. À la source de tout le mal, notre voisin de gauche, Fernand Petitête. Également appelé L'Infâme. Marié à Blouse Goyette. En communauté de biens, comme on disait autrefois. Quoique dans leur cas, communauté de mal s'appliquerait davantage. N'insistez pas, je n'en dirai pas plus pour le moment. Rien ne sert de courir, il faut partir à temps.

La voisine d'en-avant, c'est Françoise Fougère. Une dame charmante. Très impressionniste, si je puis dire. Elle élève des personnes âgées. Pour des motifs humanitaires. Ce qui n'est pas le cas de nos voisins de droite: LePoète, Le P'tit Fouinard et compagnie. En ce qu'ils sont concernés, ceux-là, l'élevage de vieux constitue plutôt un plan de carrière. Pour ne pas dire un fond de pension. Quant à la voisine de droite... «Laquelle?» insiste Martin qui veut toujours que je précise mes objectifs, tous les tenants et aboutissants, le fin mot de l'affaire. Il est vrai que nous avons eu de nombreuses voisines de droite. La plupart sont parties sans laisser de traces. Je m'en voudrais de ne pas mentionner le rôle non négligeable joué par Charlotte Lecomble dans toute cette affaire. Si elle n'avait pas vendu ses terres...

«Je récapitule, ai-je dit à l'avocat. *Primo:* nous avons acheté une maison enclavée avec deux servitudes de passage. *Secundo:* Fernand Petitête nous a proposé d'échanger une servitude contre un maigre lopin de terre...

— ... et vous avez refusé ? C'est ça ? »

Il avait l'air un peu pressé, l'avocat ! « On se calme, on se calme », me suis-je dit. Une question est une question, celle-ci demandait que j'y réfléchisse à deux mains.

À vrai dire, elle nous a profondément troublés, cette proposition ! « Notre beau temps est fini », a dit Martin. Le pauvre devait pressentir la suite des événements. D'un autre côté, ce désir d'expansion de notre voisin nous apparaissait fort légitime. Tout ce qui vit veut prendre de l'expansion ; c'est la loi de la nature ! On ne peut tout de même pas lui reprocher la loi de la nature, à cet homme !

« Et le libre arbitre alors ? » a riposté Martin, mais ces questions de nature et de libre arbitre n'intéressaient pas tellement l'avocat qui s'est contenté de nous demander ce qui s'était passé ensuite.

« Nous avons conclu une entente, ai-je dit. Une entente de principe. *Si la voisine est d'accord, nous le serons aussi.*

— Et la voisine n'a pas été d'accord », a conclu l'avocat.

Il avait deviné juste. Si impressionniste qu'il soit, le bouquet de fougères n'en avait pas moins refusé la proposition illégitime du voisin. « Ce n'est pas la proposition qui était illégitime, a dit Martin, c'est la clôture ! » Un coupeur de cheveu en quatre, ce Martin ! Quoi qu'il en soit, Françoise Fougère avait refusé tout net. Ça contrariait son propre désir d'expansion. Également bien légitime, écoutez : cette dame charmante élève des personnes âgées. Dans un esprit humanitaire. Ce qui signifie que chez elle, la Grande Thérèse n'est pas confinée à son lit ou à sa chambre comme elle le serait ailleurs ; au contraire, on la laisse se promener comme bon lui semble, quitte à aller la cueillir à l'autre bout de la ville lorsque l'envie lui prend de retourner sur les lieux de son enfance. Quant à Georges-Étienne, il n'a de permission à demander à personne avant de boire son verre de gin. « Il a toujours pris un gin, le soir, après le souper ; pourquoi je l'en empêcherais ? » demande Françoise Fougère. Chez elle, l'heure du coucher est FA-CUL-TA-TI-VE, et quand vient le temps de prendre son bain, personne n'oblige Rose-Alma Charest à se dévêtir devant un ou une préposé(e) aux bénéficiaires, et lorsque l'infirmier ou l'infirmière du CLSC se présente pour dispenser ses soins médicaux, préventifs ou palliatifs, c'est le branle-bas de combat dans la cuisine afin de cacher les gâteaux auxquels madame Pelletier n'a pas droit, mais dont elle continue de se régaler envers et contre tous. À table, ça discute de choses et d'autres et non pas seulement des enfants qui ne viennent plus et qui sont « bien ingrats, monsieur, bien ingrats », répète Dora Turcotte, une opinion qui est loin de faire l'unanimité, la plupart s'en fichent des enfants, ils ont bien d'autres chats à fouetter, et c'est vraiment incroyable de voir comment ces vieux qui n'attendaient plus rien de la vie, qui s'étaient en quelque sorte résignés à mourir, ont changé leur fusil d'épaule dès qu'ils ont mis le pied chez la voisine, et si l'un d'entre eux en vient parfois à disparaître, c'est vraiment de la mauvaise volonté de sa part parce qu'on s'amuse ferme au foyer *À bon port* tenu par Françoise Fougère.

«Par pitié, tenez-vous en aux faits», a dit l'avocat.

Le fait est que tous ces désirs légitimes se sont mués en de terribles chicanes. Les injures volaient bas, je vous prie de me croire! Plus moyen d'écouter de la musique. Lorsque l'un de nous quittait la maison, il devait se couvrir pour ne pas tomber sous les quolibets. Nous avons tenté d'intercéder pour le voisin auprès de la voisine, mais ça n'a pas marché. Pour dire le vrai, cela ne nous chagrinait pas outre mesure. Dans le doute, abstiens-toi, dit le proverbe. Or, nous doutions, monsieur l'avocat, nous doutions passablement. À nous voir, on ne croirait pas, mais nous sommes des êtres torturés par le doute. Remarquez : nous aurions pu naître voleurs, menteurs et ne douter de rien — nous nous en serions sans doute tirés à meilleur compte —, mais on ne se refait pas, qu'est ce que vous voulez ? »

Tout être normalement constitué aurait respecté la décision irrévocable de la voisine. Notre voisin est-il un être normalement constitué ? La question se pose. Cheveux blancs, silhouette voûtée, regard buté, le tout accompagné d'une force d'inertie capable d'éteindre un volcan, il est évident que nous avons affaire à un malfaisant au sens le plus littéral du terme. Partout où il passe, il sème la pagaille. « Un vice caché », dit toujours Martin, qui étudie actuellement la possiblité d'entamer des procédures à l'endroit de notre auteur*, Thomas Song, lequel était tenu de nous prévenir en vertu de je ne sais trop quelle loi.

---

* Dans le jargon juridique, l'auteur, c'est celui qui vend une belle propriété à un autre. Il y a sûrement des auteurs célèbres, mais je ne les connais pas. À titre d'exemple, mentionnons que la Russie a été l'auteure des États-Unis au moment où elle lui a vendu l'Alaska pour une bouchée de pain en 1867. « On est toujours l'auteur de quelqu'un », a dit Prévert. « Prévert a vraiment dit ça ? » demande Martin. Qu'est-ce qu'il croit, Martin ? Que j'invente ?

Je ne voudrais pas lui faire de peine, à Martin, mais ces procédures risquent de nous mener loin. Il y a longtemps qu'il nous a quittés, Thomas Song! Il habite maintenant une mégacité, quelque part, sur la planète. Les gens y sont plus civilisés qu'ici, semble-t-il. En ville, on raconte qu'il revient parfois faire son tour, mais qu'il s'en retourne aussitôt, découragé par l'ampleur des dégâts.

L'avocat aussi est découragé par l'ampleur des dégâts. Il jette nerveusement un coup d'œil sur sa montre. Allume une cigarette.

« Ensuite? »

Décidément, il n'a que ce mot à la bouche!

« Ensuite, le voisin est allé consulter un avocat, et cet avocat lui a donné plein de trucs! J'espère que vous en avez aussi, des trucs, parce que ça devient de plus en plus difficile pour nous! On dirait le Far West!

— Quelle sorte de trucs?

— Est-ce que je sais, moi! Il parle de mettre un cadenas...

— Un cadenas?

— ...de creuser un fossé, d'installer une guérite, un pont-levis...

— Écoutez, si vous voulez vraiment que je vous aide, il faudra vous montrer plus précise. N'êtes-vous pas écrivain?

Écrivain, écrivain, je voudrais bien l'y voir, lui !

Un jour, nous avons reçu une lettre. Nous aimons bien recevoir des lettres. Un ami artiste nous envoie régulièrement des lettres qu'il agrémente de ses illustrations. Personnellement, je trouve le style un peu fade, mais... « Pure jalousie », a dit Martin. « Vous êtes vraiment tous pareils, vous, les écrivains ! Des dénigreurs ! Des contempteurs ! Incapables d'accepter que les autres aient le moindre petit talent... »

Il fait l'horrifié, Martin, mais je voudrais que vous entendiez ses commentaires désobligeants à l'égard des membres de sa propre confrérie. Beaucoup moins aimable qu'il n'en a l'air ! Triste à dire, mais les mauvais sentiments ne sont pas l'apanage des voisins ; nous en sommes également affligés, à l'occasion. (Très occasionnellement, toutefois.) Quoi qu'il en soit, nous aimons bien recevoir des lettres. Surtout des lettres d'admirateurs. « Continuez votre beau travail », écrivait Victor-Lévy Beaulieu, il n'y a pas si longtemps. Naturellement, la lettre dont je vous parle était d'une toute autre nature. Elle venait de la municipalité et nous informait que les conduites nous alimentant en eau potable passaient sous la propriété du voisin. À en croire la municipalité, ces conduites étaient dans un piètre état ; elles risquaient de céder d'un instant à l'autre. « Vous serez privés d'eau ; vos enfants vont mourir de soif. En ce qui nous concerne, nous ne demandons pas mieux que d'effectuer les réparations, mais votre voisin refuse d'accorder les servitudes nécessaires. *Je ne sui pas moi même reliées à ces conduite déphectueuses; je ne voi dont pas pourquoi je vous donnerais une sertitude,* écrit-il. *Veullez en avisé les persone concerné.* »

« Il a vraiment écrit ça ? » a demandé l'avocat.

Je ne sais pas pourquoi, j'ai parfois le sentiment qu'il doute de moi, de ma parole, mon talent !

« Voyez vous-même si vous ne me croyez pas », ai-je dit.

« Bourrée de fautes, cette lettre ! Il fait quoi déjà, ce Petitête ?

— Enseignant.

— Pauvres enfants !

— Je ne vous le fais pas dire.

— Curieux, tout de même ! C'est le troisième dossier de ce genre à aboutir sur mon bureau en moins d'un mois. Les trois mettent en cause des enseignants.

— Il n'y a pas de problème, il n'y a que des professeurs, a dit Prévert.

— Vous en concluez quoi ?

— Qu'il y a collusion. Le gouvernement devrait leur couper les vivres.

— Ouains ! Joliment compliqué, tout cela !

— Je vous l'avais bien dit.

— Y a-t-il autre chose ? »

Autre chose, autre chose, il a d'abord fallu régler celle-là ! J'y ai mis deux ans. Deux ans de tractations de toutes sortes. Le voisin, la voisine. « Qu'est-ce que vous voulez que j'y fasse?» a dit le service d'urbanisme dans son ensemble. Quant à l'employé du Service des eaux, il a qualifié la situation d'infiniment regrettable, mais de tout à fait prévisible étant donné la nature de l'individu en question. Heureusement que j'ai réussi à convaincre les Ponts et chaussées de faire passer les conduites ailleurs! Ça ne s'est pas fait sans mal! Il a d'abord fallu convaincre *ailleurs* d'accorder les servitudes nécessaires. «Pas si défectueuses que ça, ces conduites», disait *ailleurs*, en l'occurrence notre voisine de droite, Charlotte LeComble, fille de Clément, une infirmière, tiens, pour faire changement. Qui n'avait pas encore vendu toutes ses propriétés, à l'époque. Seul le petit chemin était tombé aux mains du voisin. Une belle fripouille, oui!

«Belle fripouille, belle fripouille, mais vous le laissez tout faire! me dit Charlotte LeComble. Il est évident que si vous ne dites rien, il ne s'arrêtera jamais. Il faut tuer le serpent dans l'œuf, croyez-moi!»

Le serpent dans l'œuf! Facile à dire, le serpent dans l'œuf, mais ça devenait de plus en plus ardu, ces négociations! Reproche, chantage, malversation, on aurait dit le Far West, monsieur le juge!

«Alors là, je vous arrête, a dit l'avocat. Je n'ai pas été nommé juge. Pas encore, du moins. J'aurais bien aimé, les salaires sont substantiels, le stationnement gratuit; j'ai posé ma candidature à quelques reprises, mais on ne m'a pas choisi. Qu'est-ce que vous voulez, c'est politique, ces nominations!

— Je veux bien, moi, mais toutes ces chicanes, ça nous rend terriblement malheureux! Je suis écrivain, somme toute, bien que l'Union ait refusé de me donner ma carte. «Inconnue en ville, ont-ils dit. Votre maison d'édition n'est pas la bonne!» «Un jour, ils me supplieront d'adhérer à leur cause, ai-je dit à Martin. Même qu'ils devront me verser des titres honorifiques pour compenser.

— Quelle sorte de titres? s'enquit Martin.

— Est-ce que je sais, moi! Ça dépend...

— Ça dépend de quoi?

— De leurs statuts et règlements, tiens!»

Qu'est-ce qu'il croit, Martin? Il n'a jamais fait partie d'aucune association et il se mêle de vouloir gérer la mienne...

Le fait est que nous n'en menions pas large, lui et moi! Tournois de ping-pong, randonnées en forêt, excursions à la ville ne suffisaient pas à nous faire oublier la guerre. (*No, sir!*) Même la musique ne nous était plus d'aucun secours. Seul Bohumil Hrabal...

«Qui c'est celui-là?

— Comment? Vous ne connaissez pas Bohumil Hrabal? Pas même son merveilleux *Moi qui ai servi le roi d'Angleterre*? Pas même sa trilogie *Les Noces dans la maison*? *Les millions d'Arlequin*, non plus?»

L'avocat ne connaît pas Bohumil Hrabal. Dommage! À cent cinquante l'heure, il aurait pourtant les moyens de se les offrir, ces livres! «Preuve qu'on ne peut pas tout avoir», me dis-je pour me consoler, me consoler de ces terribles ennuis que je ne souhaiterais à personne, pas même à mes voisins. «La vie ne va pas sans quelques soucis, ai-je dit à Martin. Peut-être devrions-nous nous réjouir, peut-être que cette triste histoire nous protège de malheurs encore plus grands et plus terribles...

— Quelle idée farfelue ! Ça n'a rien à voir !» a dit Martin.

Il a raison, évidemment. Ça m'aurait bien arrangé, pourtant ! C'aurait été là un bel exemple d'arrangement à l'amiable, non ?

« Si je comprends bien, la ville ayant changé les tuyaux de place, le voisin ne pouvait plus faire chanter la voisine », a résumé l'avocat.

Il bâillait, le pauvre !

«Ce ne sera pas mon meilleur titre», ai-je pensé.

Le cerveau en ébullition, Maître Gazaille arpente la pièce, s'arrête devant une bibliothèque, en retire un livre, un second, un troisième, ramène le tout sur son bureau.

«À votre avis, pourquoi Fernand Petitête a-t-il acheté ce terrain?»

Je flaire le piège.

«Je vous l'ai déjà dit, il voulait...

— Pour faire du trouble», tranche-t-il.

Il me regarde. Satisfait. Quel sens de la formule! Il se voit déjà devant La Cour, posant sa question aux membres du jury, y répondant par la même occasion. Mais il n'y a pas de jury dans une cause au civil, pense-t-il ensuite, mélancoliquement. Et il soupire. Un soupir gros comme le bras.

Faire du trouble! Il faut bien peu de choses pour faire du trouble. Un sac de ciment, une truelle, et le tour est joué. Le coin est désormais connu sous l'appellation de petite bourgade. Il y a des fourmis de l'Est et des fourmis de l'Ouest. Des drapeaux, des sentinelles, des oriflammes, toute une série de pancartes découpées dans de vieux plywoods: *Terrain privé, Défense de passer, Par ordre, Nul si découvert*. Et comme si ça ne suffisait pas, le voisin y a empilé son bois de chauffage, et son fils, qui étudie la mécanique, y a traîné de force une vieille voiture qui lui sert pour ses apprentissages. Pas très doué, le fils ! Il passe ses jours et ses nuits à tourner la clef pour démarrer, mais le moteur cale tout le temps et quand il sort de la voiture en jurant à pleine bouche, c'est la portière qui se brise et il en a pour une semaine avant de venir à bout de la réparer. Il a éparpillé tellement de vis et de boulons qu'on se croirait chez le ferrailleur. Un matin, aux petites heures, le moteur s'est étouffé pour de bon et le pauvre garçon a dû abandonner ses études. Nous étions bien un peu déçus pour lui, un peu inquiets pour son avenir, mais comment ne pas nous sentir soulagés en même temps ? Plus personne n'arrivait à dormir dans le coin. Étienne SansChagrin passait des nuits blanches. C'est comme ça qu'il a attrapé son cancer ; pendant ce temps-là, les filles s'envoyaient en l'air le long de la clôture. Moi, personnement, je n'ai rien vu ; c'est Françoise Fougère qui me l'a dit. Elle tenait l'information de Rose-Alma Charest, laquelle l'avait appris par sa sœur qui habite pas loin d'ici et qui se lève souvent la nuit. Même qu'elle a trouvé une dizaine de préservatifs qui traînaient le long de la clôture à cet effet. Elle a aussitôt logé une plainte auprès de La Municipalité, mais ça n'a rien donné sauf que les conseillers se sont précipités le long de la clôture. Seul l'hiver a eu raison de leurs instincts. «Leurs bas instincts», précise Martin.

L'hiver ! Je ne sais pas ce que vous faites du vôtre, nos voisins, eux, le passent à pelleter, et c'est une vraie beauté de les voir : une pelletée par-ci, une autre par-

---

* C'est mon fils. Il joue de la batterie dans un groupe rock. Il dit que quand l'inspiration est là, il ne faut pas la laisser passer.

là, et hop, sur le petit chemin! Ils ne l'avoueraient pas pour tout l'or du monde, mais ils ambitionnent de boucher les fenêtres illégitimes de la voisine. «Faites qu'il neige suffisamment, mon Dieu», prient-ils à la messe du dimanche. «Ces gens-là vont à la messe?» s'étonne la voisine, scandalisée. Non seulement ces gens-là vont à la messe, mais leurs prières sont exaucées. Il a neigé sans arrêt, cette année-là. J'ai cru qu'ils finiraient par s'effondrer, victimes d'arrêt cardiaque, mais ça ne s'est pas produit, les choses ne se produisant jamais comme on voudrait, c'est fatiguant à la longue! N'empêche! Fallait les voir hahaner sur leur tas de neige! «Et pousse, et pousse, tu dormiras mieux ce soir», chantaient-ils. On se serait cru dans *Blanche-Neige et les sept nains*. Martin et moi étions sidérés. D'autant que la neige, nous... Si je me souviens bien, cette année-là, au lieu de la pelleter, la neige, nous avions opté pour la solution contraire: la piétiner bellement, avec enthousiasme. Cette année-là, nous marchions sur la neige comme le Christ sur la mer, c'était magnifique, monsieur l'avocat, ai-je dit, mais ça n'a pas eu l'heur de l'impressionner et Martin a dit de laisser border. «Tout ça finira bien par se tasser», a-t-il dit. Peut-être, mais comment empêcher les gens de jaser? Quand j'allais chercher le bulletin des enfants, à l'école, il y avait toujours quelqu'un pour me parler du voisin, du muret ou de la neige. Les garçons en profitaient pour s'éclipser. Frédéric a failli couler ses maths, cette année-là. Quant à Guillaume, on lui donnerait les clefs de l'école qu'il les prendrait, a dit le directeur. Le moins qu'on puisse dire, c'est qu'elle ne nous a pas rendu service, Charlotte LeComble, le jour où elle a refusé de vendre le petit chemin à Françoise Fougère!

«Qu'est-ce que c'est que cette histoire encore?» a demandé l'avocat en levant les yeux au ciel.

Françoise Fougère, la voisine d'en-avant, avait proposé à Charlotte LeComble d'acheter le petit chemin et de le vendre à la municipalité pour la modique somme de un dollar de manière à ce que les troubles ne se produisent jamais et que nous puissions tous continuer de vivre en paix comme c'était le cas auparavant, car les anciens occupants sont formels : ils se sont toujours bien entendus entre eux ; c'est du moins ce qu'ils soutiennent quand on leur donne l'occasion de s'exprimer sur le sujet, une assertion digne de foi, Notre Honneur, et que j'ai eu tout le loisir de constater par moi-même, les troubles n'ayant véritablement commencé qu'au moment où les propriétés voisines se sont retrouvées entre les mains d'esprits malveillants et chicaniers pour ne pas dire davantage. Naturellement, je n'irais pas jusqu'à affirmer que Jean-Paul II n'ait jamais été incommodé par les pissenlits qui poussaient chez nous en abondance ; je ne dirais pas non plus que les incursions de nos chiens bien-aimés sur son territoire ne l'aient sérieusement agacé à une certaine époque, mais il savait vivre, Jean-Paul II! Il nous pardonnait volontiers nos petits travers. Le jour où il a remplacé sa souffleuse par un modèle plus performant, il s'est mis à déblayer notre entrée tout à fait gratuitement ; c'est tout dire, non! Il n'aurait certainement pas déblayé gracieusement notre entrée si nos rapports avaient été entachés d'animosité mutuelle. De notre côté, nous n'étions pas en reste, Ton

Honneur! Bien que ce ne soit pas dans nos mentalités, nous avons quand même engagé un entrepreneur paysagiste afin qu'il vienne répandre ses herbicides et contaminer la nappe phréatique; les pissenlits ne plaisent pas à tout le monde, c'est pas sorcier, nous sommes capables de comprendre ça!

Bref, le bouquet de fougères avait proposé à Charlotte LeComble d'acheter le petit chemin et de le revendre à la municipalité pour la modique somme de un dollar, mais Charlotte LeComble a refusé parce qu'elle en voulait à Françoise Fougère à cause d'une histoire de fenêtre illégitime que celle-ci avait percée sans détenir le droit de vue approprié. Mais peut-être nous en voulait-elle aussi?

« Tu ne vas pas sombrer dans la paranoïa? » s'inquiète Martin.

Non, bien sûr que non! Qu'est-ce qui lui prend, à Martin?

# EN RÉSUMÉ

1. Charlotte LeComble (A) possède le chemin sur lequel Françoise Fougère (B) et nous-mêmes (C) détenons un sérieux droit de passage.

2. Convoîtant ce chemin pour son usage personnel, Fernand Petitête (D) dépose une offre d'achat auprès de Charlotte LeComble, offre par laquelle il s'engage à respecter les servitudes existantes.

3. Françoise Fougère dépose également une offre : non seulement elle respectera les servitudes existantes, mais elle s'engage à vendre le dit chemin à la municipalité pour la modique somme de 1 $.

4. Contre toute attente, Charlotte LeComble accepte l'offre de Fernand Petitête, lequel nous fait une offre que nous ne pourrons pas refuser, mais que Françoise Fougère refuse catégoriquement.

5. La torchon brûle entre Françoise Fougère et Fernand Petitête.

6. Fernand Petitête consulte un avocat. Ce dernier lui donne plein de trucs.

7. Nous sommes coincés entre l'arbre et l'écorce.

8. Arrivée de La Compagnie.

9. Les choses s'enveniment.

28 mai 1992. Le ciel est bleu, le soleil brille. Les arbres développent leurs feuilles comme si c'était des cadeaux. Les gens se promènent avec des rateaux, des arrosoirs. Ça sème à tout vent. Les plans de brocolis sont mis en terre, les fines herbes en pot. Les jardiniers paysagistes font des affaires d'or. Tout le monde est heureux. Il nous vient des pensées magnanimes comme il nous en vient, parfois, lorsqu'on n'a mal nulle part et que l'harmonie règne sur la terre comme au ciel.

C'est ce jour béni entre tous que Fernand Petitête a choisi pour jeter les bases de ce qui allait devenir son grand œuvre. Affolée, Françoise Fougère donne un coup de fil à son avocat, mais il n'en est pas à son premier affolement, cet avocat! Le mieux, dans ces cas-là, c'est d'y aller de quelques phrases rassurantes, des considérations générales. «Nous allons lui régler son compte, à votre voisin!» dit-il. De notre côté, nous étions absents. On jouait Tosca à Québec. Une production exécrable. Des costumes douteux, un Scarpia tout vieillot, tout souffreteux; un peu plus, et il tombait dans la fosse d'orchestre. Tosca s'est démis la cheville en sautant de la tour. Seul le ténor a su tirer son épingle du jeu. *E lucavan le stelle*. Vous aimez, monsieur l'avocat? Vous l'avez entendu chanté par Aragall? Un ténor espagnol. Un espagnol trésor. Très émouvant. Bref, c'est cette production exécrable qui explique que nous ayons été absents, ce jour-là. «Vous auriez dû les voir, nous a-t-on dit à notre retour. Lui, elle! Les cheveux blancs, la boucle rose! Ils enfonçaient un pieu dans le sol, se reculaient pour le regarder, l'admirer; ils en faisaient lentement le tour. Tout fiers de leurs œuvres, ces Petitête! «De leurs basses œuvres», a précisé Martin. «Bah! Un nouveau truc de leur avocat», m'étais-je dit.

«À ce propos, Maître, il faudrait que vous nous en donniez aussi, des trucs! Ça n'a l'air de rien, mais la situation est de plus en plus catastrophique! Nous ne pouvons même pas nous enfuir, où irions-nous, je vous le demande?

— Allons, du calme! Où était-elle construite, cette muraille? a demandé l'avocat.

— Ici, Maître. Exactement ici, voyez!»

Et j'ai fait une croix sur le certificat de localisation afin de bien lui montrer l'endroit où le voisin avait installé sa maudite clôture. «Comment voulez-vous que je comprenne?» a dit l'avocat. J'ai cru déceler un peu d'agacement dans sa façon de parler. C'était sans doute justifié; j'ai jeté un coup d'œil sur le certificat, il y avait des croix partout, et non pas seulement des croix, mais aussi des carrés, des ronds, des x, grands et petits. Ce n'était pas ma faute! J'avais d'abord noté à l'encre bleue les terrains ayant appartenu au vieux Schnock; j'avais ensuite indiqué, à l'aide d'un pointillé, les lots achetés par Stain Less et Marthe Préaux, soit le mille sept cent dix-huit huit trois et le mille sept cent soixante-quatre neuf six ainsi que le trois cent dix cinq sept huit, subdivisions deux cent un du cadastre quarante-quatre du canton Billetdoux. J'avais aussi écrit le nom d'Antoine Chaillon sur la propriété de Françoise Fougère, mais c'était une erreur et j'avais dû le rayer de la carte, le remplacer par celui de Lucette Chaillon, car c'était Lucette et non Antoine qui avait acheté notre maison, on ne sait trop pourquoi d'ailleurs puisqu'elle l'a revendue le jour même à notre auteur, Thomas Song. Lucette Chaillon était une femme dépressive. «Elle n'a pas toute sa tête à elle», nous a confié Jacques LaCourse, une sorte d'historien local à qui nous avons demandé ce qu'il savait de l'Impasse Stain. L'Impasse Stain! Personne ne connaît cette appellation, mais elle hante nos nuits, à Martin et à moi!

«Bon. Laissez-moi examiner tout cela, a dit l'avocat en roulant les relevés de cadastre afin de les glisser dans un grand tuyau de carton. Entre-temps, essayez donc de contacter les gens qui ont habité le coin avant vous. Peut-être auront-ils quelques indications à nous fournir...»

Je ne sais pas pourquoi, peut-être ai-je fait vœu d'obéissance dans une vie très antérieure ou c'est ma mère qui m'a mal élevée — à moins que ça ne vienne d'une trop longue fréquentation des collèges classiques, qui trop fréquente mal étreint —, je ne sais pas pourquoi, mais quand on me donne des devoirs, je ne peux m'empêcher de les faire. C'est malheureux, mais c'est comme ça ! Une sorte d'atavisme, je crois. « Ta mère a toujours fait son devoir », disait mon père.

Le lendemain de ma visite chez l'avocat, je commençais mon enquête.

« Rien à voir là-dedans », me dit une dame.

Elle semblait littéralement prise de panique.

« Qu'est-ce que vous me voulez ? Autant vous le dire tout de suite, mon mari et moi n'avons rien à nous reprocher. Comment aurions-nous pu prévoir ? Il venait à peine d'emménager qu'il commençait déjà à semer la discorde. Nous en étions terriblement mortifiés. Mon mari ne s'en est jamais remis. Au poimt que j'ai dû le placer dans un centre pour personnes âgées en perte d'autonomie avec disfonctionnement de la personne, troubles de mémoire et insuffisance rénale. Ils appellent ça un centre d'accueil. Je ne vous souhaite pas de voir ça ! Êtes-vous tombée sur la tête ? Jamais je n'irai témoigner pour vous. J'ai bien assez de mes problèmes ! Les gens racontent que je refuse de m'occuper de mon mari. De mauvaises langues ! La ville en est remplie. Stain Less ? Évidemment que je l'ai connu. C'est le frère de sa femme qui a construit votre maison. À l'écouter, celui-là, on aurait dit qu'il était en train de bâtir une espèce de château... Si Thomas Song utilisait ce chemin ? Thomas Song utilisait tous les chemins. Nous vivions en paix, à l'époque. Ce n'est pas comme vous, les générations nouvelles... »

Et elle me glissa encore :

« Votre voisin, il vient de la Nouvelle-Écosse, mais il n'est pas prêt d'y retourner ! Interdit de séjour, d'après ce qu'on m'a dit ! »

En 1944, les terres partaient des collines et descendaient doucement vers la rivière ; l'air était frais, le ciel bleu ou gris, selon les saisons. Il n'y avait pas encore ces horribles pits de gravelle qu'on voit aujourd'hui, éparpillés dans le paysage comme des taches de son. Pas de drive-in avec écran géant. Ni Club de golf BeauGazon. C'est à peine si on y trouvait un concessionnaire automobile. « On ne s'imagine pas ce que c'est que cette région, écrivait Arhur Buies, à l'époque ; un pays extrêmement mamelonné, coupé de gorges et de ravines, et se présentant comme une mer de vagues de terre qui se déroule à l'infini vers un horizon inaccessible. »

En 1944, le vieux Schnock a vendu un terrain à Rémi SansChagrin qui désirait se construire une maison. C'était un terrain encastré, comme le nôtre, avec deux servitudes de passage, l'une pour aller rue de la Noix, l'autre pour se rendre rue des Vendus, et ce, en toute quiétude, sans se faire apostropher par tout un chacun comme c'est le cas pour nous maintenant. «C'était tout à moi, ça, dans l'temps», dit toujours Étienne SansChagrin, le fils de l'autre, qui rêve publiquement du jour où le juge punira notre voisin d'être ce qu'il est, à savoir un malfaisant, une fripouille, un gredin, peut-être pas de la pire espèce, mais presque. «Où s'en est rendu, votre affaire?» s'informe Étienne SansChagrin chaque fois que nous nous rencontrons de part et d'autre du petit chemin, lui à l'est, moi à l'ouest. «J'étais là quand ils ont mis la vaisselle en terre. Si le juge se donnait la peine de creuser, il la trouverait», répéte-t-il à tout venant, et l'arpenteur a dit qu'il avait raison, Étienne SansChagrin, que les gens devraient arrêter de se moquer de lui, nous les premiers, car il a tout à fait raison! En l'an 1950, Clément LeComble ayant fait borner le terrain, les arpenteurs avaient enfoui des morceaux de céramique blanche dans la terre brune. «C'est ce qui se faisait, à l'époque, c'est ça qui servait de bornes», a dit l'arpenteur. À entendre l'arpenteur, tout le sous-sol de la Nouvelle-France était truffé de vaisselle cassée. Que de scènes de ménage chez ce peuple, dirait un ignare. Malheureusement, les juges ne cherchent pas si loin. Ils ne lisent même pas leurs dossiers*. «Je suis payé pour vous écouter», disait le nôtre. Martin trouve qu'il ne nous a pas écoutés beaucoup si l'on compare au salaire qu'il reçoit et pour lequel l'ensemble de la magistrature ne cesse de réclamer des réajustements. 75 000 $ par ci, 75 000 $ par là, elle est belle, la magistrature!

* Communication personnelle entre une telle et une telle.

En 1944, le couple Stain Less/Préaux a acheté presque tous les terrains compris entre la rivière, la rue de la Noix et la rue des Vendus. Trois ans plus tard, ils en cédaient une partie à Alexandre, le frère de l'autre, qui désirait y construire une maison pour abriter ses vieux parents. «Tu te rends compte que cette maison a été bâtie par amour filial?» ai-je dit à Martin.

Alexandre Préaux se présentait comme *architecte stagiaire*, mais d'après ce que j'ai cru comprendre, il n'était pas stagiaire du tout dans l'art de taper sur les nerfs de tout le monde. Il me semble plutôt sympathique, à moi! Il est d'ailleurs tout à fait exact qu'il a construit là une sorte de petit château. Quand nous avons emménagé ici, en 83, nous étions persuadés d'avoir acheté la plus jolie maison de toute la ville. Normal: regardez-moi ces fenêtres en demi-lune! Des carreaux bleus, des carreaux jaunes, des baies vitrées qui s'avancent, pleines d'amabilité. « C'est coquet, chez vous», a dit ma sœur Claudette lorsqu'elle est venue nous visiter. Si ma sœur Claudette le dit, c'est que c'est vrai. Ma sœur Claudette habite une belle grande maison et n'a rien à envier à personne.

Au cours de mon enquête, j'ai eu l'occasion de rencontrer tous ceux qui avaient vécu dans le coin avant l'arrivée de Petitête et compagnie. Tous sont unanimes à dire qu'ils y ont coulé des jours paisibles et heureux!

J'ai téléphoné à l'avocat pour lui faire part de mes découvertes.

«Beau travail! Envoie-moi tout ça et je te redonne des nouvelles», a-t-il dit.

Je te redonne des nouvelles, je te redonne des nou-velles! Vous étiez là, n'est-ce pas, vous êtes témoins? La question, c'est qu'il ne m'a pas dit QUAND il nous donnerait des nouvelles, et je n'ai pas cru nécessaire de lui faire spécifier l'heure, la date, l'année, mais comme il ne rappelait pas, j'ai bien été obligée de le faire!

«Ah! Bah! Ouf! Euh! Ouains! Dans les circons-tances... Écoutez, j'ai tout de même un certain volume de causes à défendre, ce qui prouve mon haut degré de compétence n'est-ce pas, ça devrait vous rassurer; votre affaire est entre de bonnes mains! Évidemment, dernier arrivé dernier servi, mais je ne vous laisserai pas tomber, soyez sans crainte! Jamais je ne laisse tomber un client!»

Un diable dans l'eau bénite! Il n'en finissait pas de se justifier. À croire que mon dossier, sur lequel il n'avait pas encore eu le temps de se pencher, n'en était pas moins d'une importance capitale à ses yeux. J'en conclus que ma cause devait certainement lui tenir un peu à cœur sans quoi il n'aurait pas hésité à m'envoyer paître. Comment avais-je pu me laisser al-ler au point de douter de ce brave homme? Un peu vantard, mais tout à fait sympathique!

«Décidément, ma fille, cette affaire est en train de te priver de tout ton sens commun», me suis-je dit.

Je ne sais pas si vous vous rendez compte : il y a ma maison, une petite maison bleue cachée sous les arbres. Quand je sors sur le patio, la clôture délabrée qui appartient au voisin et qui sépare nos deux « propriétés » me saute aux yeux. Quand la voisine lave ses vitres, elle me voit sur la galerie en train de consigner ses faits et gestes ainsi que ceux de son mari et de ses enfants, le chat le chien, les perruches. « Mais non, ce n'est pas comme ça que ça s'est passé », pense-t-elle, et la télépathie va son chemin, qui a fait quoi et à quel moment, mensonge, dit l'une, j'vais t'en faire un mensonge, dit l'autre. Pour peu que je me fatigue et que je décide d'aller au bureau de poste, je tombe sur le voisin qui tient à la main cette lettre recommandée que lui a expédiée l'avocat et qui l'enjoint à démolir, séance tenante, cette misérable clôture de broche qui nous empêche de circuler là où nous avons parfaitement le droit de circuler, nous et nos ayants droit. De retour chez moi, j'ai droit à un regard noir de la voisine qui a fini de laver ses vitres et qui étend des petites culottes roses sur sa corde à linge bleue. Vous admettrez avec moi que la situation est délicate ! Nous ne savons plus à quel saint nous vouer ! « À votre place, j'prendrais un camion et j'la démolirais, cette clôture », a dit l'arpenteur.

Mais... mais... C'est que...

Ça n'est pas dans nos habitudes, murmurais-je à l'oreille d'un juge fictif et plein de compassion.

Le plus éprouvant, ç'a été quand la *Défense et demande reconventionnelle* est entrée sur le télécopieur, un vendredi de novembre. Je ne sais pas comment c'est chez vous, mais chez nous, les vendredis de novembre, en fin d'après-midi, c'est la désolation. Il pleut à fendre l'âme, les feuilles tourbillonnent, et le ciel, eh bien, il est comme une couverture de laine mouillée, le ciel, il étouffe toute velléité de départ ou de recommencement. Non que j'aie envie de tout recommencer, loin de là ; tout ce que je désire, moi, c'est rester là, tranquille, à écrire, je dirais bravement, étant donné les circonstances ; c'est ce que je faisais d'ailleurs lorsque la sonnerie distinctive du photocopieur s'est fait entendre. Comme j'étais au beau milieu d'un chapitre particulièrement délicat — ce sont des choses qui arrivent — je n'y ai pas prêté attention ; ce n'est qu'une demi-heure plus tard que j'ai aperçu la liasse de feuilles tombées par terre. C'était la *Défense et demande reconventionnelle* et elle venait de l'avocat de la partie adverse qui avait mis un an à la rédiger. « Ç'a dû lui coûter un bras, à votre voisin », a dit Maître Gazaille. Il était seize heures trente, les feuilles tourbillonnaient, de gros nuages noirs avaient envahi le ciel. J'ai ramassé la *Défense et demande reconventionnelle* et je me suis mise à lire. C'est là que j'ai appris que la demanderesse avait reculé avec fracas dans la clôture du défendeur, un geste prémédité qui avait nécessité l'intervention de La Précaution du Québec laquelle avait été mandée sur les lieux afin de calmer ses ardeurs, des ardeurs démesurées, semble-t-il. On mentionnait également que la demanderesse avait adopté à l'égard du défendeur une attitude frondeuse, vindicative et condescendante, et qu'elle nourrissait à son endroit des rancœurs maladives et incurables.

Je vous raconte ça facilement aujourd'hui, mais ça ne s'est pas passé aussi bien que ça, à l'époque ! Ça m'avait même causé tout un choc! Je n'étais pas encore habituée à me faire crier des noms. Même que j'ai commencé par m'interroger sur l'identité de cette diable de demanderesse. Qui était-elle au juste? Pourquoi se conduisait-elle de façon si inamicale?

J'ai dû reprendre trois fois ma lecture avant de m'avouer qu'il s'agissait de moi, que ces comportements frondeurs et vindicatifs m'étaient attribués à moi! *Vissi d'amore vissi d'arte*, chante Tosca. La noirceur était tombée depuis longtemps, mais je n'avais pas besoin d'allumer la lumière pour comprendre que ces longues feuilles molles et cireuses que je tournais du bout des doigts sans arriver à m'en détacher — sans non plus parvenir à les lire en leur entier — n'étaient rien d'autre qu'un ramassis d'injures et de malversations de toutes sortes. «Tu ne m'avais pas prévenu que cet appareil pouvait déverser une aussi grande quantité d'insultes, de calomnies et d'obscénités», ai-je reproché à mon beau-frère qui m'avait fortement recommandé l'achat du télécopieur en question en des temps plus cléments. «De nos jours, personne ne peut se passer d'un télécopieur, avait-il dit. Les artistes et les écrivains, moins que les autres!»

J'ai tenté de rejoindre l'avocat, il a mis six mois à répondre. Non, huit! (J'anticipe, j'anticipe. «La nuit, tous les chats sont gris, madame la demanderesse», dirait l'avocat de la partie adverse.)

Depuis, chaque fois que la sonnerie distinctive du télécopieur se fait entendre, je suis prise d'un grand tourment. «Ça fait partie des dommages que vous pourrez réclamer à La Cour», a dit l'avocat.

Martin estime la sonnerie distinctive à environ deux mille dollars. Il en a de belles, lui ! On voit bien que ce n'est pas lui qui l'a reçue, la *Défense et demande reconventionnelle*. En ce qui me concerne, dix ou quinze mille dollars ne seraient pas de trop. Je m'en servirais pour prendre ma maison dans mes bras et l'amener en lieu sûr, sur les bords de la rivière au Diable, par exemple, ou sur la forêt domaniale, là où malfaisants et compagnie sont interdits sous peine d'amende substantielle, là où les esprits chicaniers ne font pas vieux os. « Ils n'aiment pas les morilles », disent les hôtes de ces bois. « Cette forêt comprend toute la terre autour du lac Pointu, jusqu'à trois milles de profondeur », écrit Arthur Buies.

« C'est clair comme de l'eau de roche! Ils ne peuvent pas ne pas comprendre», ai-je dit à Martin.

En 1983, j'achetais de mon auteur, Thomas Song,
cette jolie maison que j'habite encore aujourd'hui.
J'étais alors convaincue d'avoir acheté la plus jolie
maison de toute la ville ; je le suis toujours d'ailleurs,
n'en déplaise à ceux qui viennent la visiter et qui se
contentent de hocher la tête quand je leur vante les
mérites de mon petit royaume. Il faut les voir aller de
pièce en pièce, jauger l'état des lieux, prendre un petit
air sagace et poser des questions sur le système élec-
trique ou la plomberie. « Voici le salon, leur dis-je. —
Trop sombre », ripostent-ils. Le salon est trop sombre,
la chambre trop claire. Il n'y a pas de garde-robes.
«Oh la la !» s'exclament-ils en entrant dans la cuisine
dont les armoires n'ont jamais été refaites. «Ils ne com-
prennent pas», me dis-je pour me consoler. Ils sont
nés pour un petit pain. Des cours d'asphalte, des plates-
bandes. Des fleurs non identifiées en plastique blanc
ou rouge.

«Mais bien sûr! Nous vous prêterons tout l'argent
dont vous aurez besoin», a dit Prude, l'employée de
la caisse populaire que je soupçonne d'avoir été de
connivence avec la notairesse dont elle nous a donné
l'adresse, mais c'est pas clair tout ça ! De toute façon,
nous étions si enthousiastes que nous nous sommes

précipités chez la notairesse en question, laquelle s'est précipitée au greffe dans l'intention manifeste d'y recopier les erreurs du passé, non sans y ajouter quelques phrases de son crû, un *s'il y a lieu*, par exemple ; c'est ce qu'on appelle la valeur ajoutée. Très bon pour l'économie locale. Quant à l'arpenteur, il est venu à la hâte, à l'heure du souper. Pressé. Affamé. « C'est Prude qui m'envoie, a-t-il dit. Ça fera trois cent soixante-dix et quatre-vingt-dix-neuf ! »

Un mois plus tard, nous emménagions. C'était en octobre. Un octobre frisquet. Je suis descendue à la cave pour faire du feu. J'ai mis le papier journal, le petit bois, les bûches, j'ai craqué une allumette, le papier s'est embrasé, je n'ai jamais compris pourquoi la fumée s'est répandue dans toutes les pièces. Lorsque j'ai ouvert la porte pour la faire sortir, les pompiers étaient sur le perron. « Faites attention la prochaine fois », ont-ils dit en quittant. Vu mon ignorance, ils ont promis de ne pas envoyer de facture, mais ils se sont ravisés : dix jours plus tard, j'en recevais une. Salée, à part ça.

« Raconte la fois où... » dit Frédéric.

Le lendemain matin, au réveil, nous avons eu la surprise de notre vie en constatant qu'il n'y avait pas d'eau dans cette maison. « C'est temporaire », nous a-t-on dit à La Municipalité. Temporaire tant que vous voulez, les enfants sont partis pour l'école tout crottés. Martin et moi sommes allés faire des courses. À notre retour, l'eau coulait à flots des robinets que nous avions laissés ouverts. Il a fallu remplacer le futon, le tapis, et...

« ... et deux mois plus tard, la cheminée s'effondrait sous le poids de la neige », entonnent en chœur Guillaume et Frédéric.

Ça m'a inquiété, le coup de la cheminée! « Cette maison est maudite », ai-je dit à Martin. C'est à ce moment-là que le cadet des fils Petitête est venu frapper à la porte. Il voulait savoir si nos enfants avaient la permission de jouer dehors. Il ne le savait pas encore, le fils Petitête, mais nos enfants avaient toutes les permissions du monde! Ils étaient si heureux, nos deux fils, ce soir-là! Ils se sont habillés en un temps record et quand il sont rentrés, deux heures plus tard, leurs yeux brillaient comme de l'or et ils ont mis des heures avant de s'endormir. Ils parlaient, riaient, se chicanaient. Le déménagement, les amis perdus, ils avaient tout oublié.

À partir de là, cette succession de catastrophes naturelles s'est arrêtée comme par enchantement, et nous avons enfin pu couler des jours paisibles jusqu'à ce que...

Oh, et si nous parlions d'autre chose... Le fleuve, par exemple, qui cache mal ses baleines. Je ne le vois pas, mais je peux fort bien l'imaginer, impassible et sûr de lui, avalant les imprudents, rejetant leurs corps sur les grèves. Tendre pour les îles qu'il entoure de sollicitude et d'affection.

« Oui, mais le vent, l'humidité, les embruns, l'air salin », dit Martin qui préfère les lacs et les rivières saumonneuses.

Fleuves, lacs, rivières, les factures à payer, les enfants qui grandissent, vous pensez bien que nous n'avions pas vraiment le temps de surveiller les agissements de notre petite mafia locale. Nous n'étions pas là quand La Municipalité a adopté le règlement de zonage qui permettrait à des entrepreneurs sans scrupule d'abattre les arbres, de répandre l'asphalte et de construire leurs habitations communautaires en carton fort. Qu'aurions-nous pu y faire, d'ailleurs?

Après avoir élaboré mon argumentation pendant toute une nuit, je tentais généralement de rejoindre l'avocat. Normal! Ceux qui engagent des avocats veulent sans cesse les rejoindre. C'est mon beau-frère qui me l'a dit. Pour celui ou celle qui l'a engagé, l'avocat est l'homme à ne pas abattre. Tout se passe comme s'il n'y avait pas de plus grand bonheur sur terre que de discuter avec son avocat, discuter de sa cause naturellement, car pour le reste... Écoutez, c'est légitime, on veut se faire rassurer, l'entendre dire que tout va pour le mieux, que nous sommes irréprochables — parfaitement *clean*, disait le nôtre —, et que notre affaire avance, qu'elle va bon train même, d'ici une quinzaine d'années, tout au plus, nous devrions être fixés. Voilà ce à quoi je pensais en signalant le numéro de téléphone de l'avocat, que je savais par cœur, à l'ins-tar de celui de mes meilleures amies, mortes ou vives. Quarante ans plus tard, je me rappelle encore le numéro de Catherine: Lafontaine 74551. Le nôtre, à la même époque, était Lafontaine 71130. Sa seule évocation m'emplit de nostalgie: la maison familiale, le hamac, les tilleuls, mon père. Mes sœurs disent de lui que c'était un homme bon. Je les crois sans peine. Il n'a jamais eu à engager un avocat, mon père! « Ça ne s'est pas présenté, a confirmé ma mère lorsque je lui ai posé la question; ça ne s'est pas présenté, mais je n'abandonne pas facilement quand je sais que j'ai raison.» D'où lui vient cette détermination? me dis-je. À son âge! Née en pleine campagne...

Cinq sonneries, six, sept, huit. La secrétaire refuse de me passer l'avocat. Traître Gazaille est occupé. Il est à La Cour. La Cour est loin. Il ne sera pas de retour avant la fin de l'année.

«Une cour à scrap», me dis-je.

«Rien ne vous empêche de laisser votre numéro de téléphone; il vous rappellera peut-être...»

La secrétaire a une voix haut perchée. Une voix de souris. Elle couine. «Est-ce que ça fait partie des dommages que je pourrai réclamer à La Cour?» ai-je demandé à l'avocat lorsque je l'eus enfin au bout du fil après plusieurs semaines d'attente.

Il n'a pas daigné répondre.

«L'avocat ne répond plus», m'étais-je dit.

Ne cherchez pas midi à quatorze heures, cette phrase, c'est un véritable leit-motiv, un axiome que je manie avec plus ou moins de bonheur selon les circonstances. Elle me vient d'un album de bandes dessinées feuilleté dans mon enfance: *Le Manitoba ne répond plus*. À moins que ce ne soit du temps où je travaillais à Environnement Canada... Je me rappelle avoir assisté à la projection d'un court métrage destiné à promouvoir l'utilisation des équipements de sécurité à bord des embarcations de pêche. Ce court métrage s'intitulait *Le Marie-Loup ne répond plus*. Il y avait le bon, habillé de blanc — il ressemblait à Tony Curtis — et le méchant, tout de noir vêtu. Si *Le Marie-Loup* ne répondait plus, c'est sans doute que le méchant l'emportait, mais il y a longtemps de cela, je ne me souviens plus très bien. Seul le titre m'est resté. Insoupçonnées, les choses qui marquent un jeune esprit! Comment une phrase aussi non signifiante a-t-elle pu s'ancrer dans ma mémoire au point que lorsqu'un misérable petit avocat de campagne ne daigne pas me retourner mes appels, des appels pour le moins pressants, je ne trouve rien d'autre à dire que : «L'avocat ne répond plus!»

Quel gâchis!

Je me demande parfois ce qu'il nous restera de tout ça ; je veux dire les séquelles, les incapacités temporaires ou permanentes. Notre façon de voir le monde ne sera plus jamais la même. J'ai perdu la foi. Pire : tout voisin étant susceptible de se transformer en brigand, en malotru, en salopard de la pire espèce, il n'est plus question pour moi d'acheter une *belle propriété* comme dirait l'avocat. Un chez-moi, un petit nid douillet, ce sont là choses du passé en ce qui me concerne. Choses vues et entendues, mais sans réalité aucune. Nous voilà désormais condamnés à errer de maison de location en maison de location. Nos enfants n'auront d'appartenance nulle part. Des émigrés de l'intérieur. C'est terrible, quand on y pense! Vous achetez la plus jolie maison de toute la ville, et vous vous retrouvez à La Cour, un vendredi 13, devant un juge, mon Dieu, un juge...

Chu-u-t! Fume ta pipe et tais-toi : il n'y a que vent, fumée et brume.

Au-dessus de nous, le ciel est d'un bleu très pâle, très doux, et le fleuve — que je ne vois pas, mais que j'imagine —, coule lentement à travers les îles, et de petites vagues affluent sur les rivages.

«Où c'en est rendu, notre affaire?» s'informe le bouquet de fougères.

Je suis toujours très embarrassée lorsque la voisine me demande des nouvelles de notre affaire. Elle n'avance pas, notre affaire! Elle piétine. «Si tu lui donnais un coup de fil, toi, à l'avocat», ai-je dit à Martin.

Le pauvre aurait préféré s'abstenir, mais dans notre intérêt à tous il crut bon, pour une fois, de faire ce que je lui demandais. Une fois n'est pas coutume, a-t-il dit.

Curieusement, il l'a eu tout de suite en ligne, lui, l'avocat! Qui n'était pas plus occupé que ça, en fin de compte. «En voilà d'la chance», ai-je dit, non sans un soupçon de jalousie. D'où lui venait que les gens le prennent tellement au sérieux, Martin, alors que je dois écrire des pages et des pages pour me faire entendre... Et encore!

L'avocat a mis un peu de temps à comprendre que Martin n'était pas ce nouveau client lui apportant une cause en or qui le rendrait riche et célèbre, mais un client insatisfait. Très insatisfait même. «Ah! Bah! Ouf! Euh! Ouains!» a-t-il dit quand il eut compris de quoi il retournait, et il jura dur comme fer qu'il allait s'occuper de notre cause dans les prochains jours. «Je vous donne des nouvelles d'ici peu», a-t-il dit.

D'ici peu ne venant pas, j'ai dû prendre les grands moyens. «Écoutez-moi bien, madame», ai-je dit à la souris qui essayait de me faire croire que son maître était absent pour la journée. «Écoutez-moi bien, ai-je dit. La cause n'est guère reluisante, je vous le concède! Une chicane de clôture, imaginez! J'en rougis rien que d'y penser. Il est évident que pour quelqu'un d'aussi doué que le Maître... La question, c'est que nous n'avons pas d'autres causes à lui confier, au Maître! Cette triste histoire mise à part, les choses vont plutôt bien pour nous. Nos enfants sont gentils. Beaux, aimables, intelligents. En conséquence, veuillez prévenir le Maître que je serai à vos bureaux demain à la première heure afin de reprendre mon dossier, qui n'était pas en si bonnes mains que ça, finalement! Je compte sur vous pour réunir les pièces: relevés de cadastres, explications, constatations, mes actes notariés et ceux de nos voisins ainsi que nos mises en demeure respectives. Sans rancune, hein! À l'impossible nul n'est tenu. L'illustre Maître n'a pas le temps? C'est également mon cas, figurez-vous! Maître Gazaille ne se rend pas compte, mais la situation est terriblement embarrassante! Lorsque j'ouvre la porte, je vois la voisine en train d'étendre son linge. Après les petites culottes c'est le tour des soutiens-gorge. La lessive finie, on croit pouvoir respirer, mais non! Il faut encore qu'ils tondent la pelouse. Les cailloux revolent à des kilomètres à la ronde. Sans compter qu'ils n'aiment pas la musique. Le plus clair de leur temps, ils le passent à médire, planter des drapeaux, élever des barricades;

quand ils font une promenade, ils s'y mettent à cinq ou à six, on dirait une clôture mobile comme on en voit au champ de course ; ceux qui ont le malheur de les rencontrer doivent leur céder le trottoir. J'en connais qui ont été happés par une voiture. Françoise Fougère me reproche mon manque de coopération, mon laxisme, mon je-m'en-foutisme, ma négligence dans la conduite du dossier. J'ai beau protester — «C'est pas moi, c'est l'avocat», elle refuse de me croire. Mettez-vous à sa place! Ses ayants droit ne peuvent plus circuler à la va comme je te pousse ; même les pompiers ont déclaré forfait. Ils ne viendront éteindre les feux sous aucun prétexte. Le temps est un sabre tranchant, madame!»

«Je transmets votre message à Maître Gazaille dès que possible», a dit la souris.

Quelques minutes plus tard, j'avais l'avocat au bout de la ligne :

«Ah! Bah! Ouf! Euh! Ouains! Je serai chez vous samedi à la première heure», a-t-il dit.

Seigneur, quelle visite! D'abord il n'est pas arrivé à la première heure. Il est arrivé quelques heures après la première heure, vers les quatorze heures, en fait. «Pour examiner la configuration des lieux», a-t-il dit. Je lui ai montré les fenêtres en demi-cercle, les carreaux bleus, les carreaux jaunes, j'ai dit : «En été, le lierre mange la galerie», mais ça n'a pas semblé l'intéresser. «Qui a posé l'asphalte?» a-t-il demandé.

— La Municipalité! Les gens ici ne pensent qu'à semer de l'asphalte. Je crains que la rivière n'y passe, un de ces jours...

— Il est évident qu'il s'agit d'un chemin mitoyen. Vos droits de passage sont inattaquables. Je ne vois pas pourquoi vous vous mettez dans cet état.

— Mais ce n'est pas du tout l'avis de la partie adverse. Le seul droit de passage qu'on nous reconnaît, c'est celui sur le petit chemin d'en-avant; or il est impraticable, ce chemin, obstrué qu'il est par quatre pieux, une clôture de broche, un muret, un empilement de bois de chauffage, des drapeaux, des oriflammes ainsi que tout un stock de vieilles voitures que le fils du voisin utilise pour ses apprentissages... Et la notairesse a écrit *s'il y a lieu*. Voyez vous-même!

— Pas terrible, la notaire!

— C'est Prude, à la caisse populaire, qui nous l'a recommandée.

— Pas terrible, la caisse populaire...

— Et puis c'est écrit « un droit de passage en tout temps et de toute manière afin de gagner la rue de la Noix et la rue des Vendus». L'avocat de la partie adverse dit qu'il s'agit d'une erreur, que le contrat devrait se lire comme suit : gagner d'abord la rue des Vendus, ensuite la rue de la Noix. J'ai beau lui dire qu'une fois rendu sur la rue des Vendus, on va où on veut, il...

— Superfétatoire», a conclu l'avocat.

Le mot est tombé comme une bombe.

Je l'ai tout de suite pris en note. Pour un écrivain, un mot nouveau constitue toujours une aubaine. De son côté Martin a essayé de le dessiner, «mais ça ne se dessine pas», a-t-il fini par reconnaître.

L'avocat, lui, a semblé agacé par notre incrédulité. «Qu'est-ce que c'est que ces gens qui mettent en doute

mes assertions? Voudraient-ils me forcer à réfléchir?»
Mais j'anticipe, j'anticipe. «On ne vend pas la peau de
l'ours avant de l'avoir tué, madame la demanderesse», dirait vous savez qui. Si vous ne le savez pas,
c'est que vous n'êtes pas suffisamment attentifs. L'avocat non plus ne m'écoute pas quand je parle. J'ai beau
lui répéter que la compagnie à numéros nous a pris
en grippe, il ne se décide pas à agir.

«Voyons donc! Une compagnie à numéros! Des
gens intelligents! Ils vont tout de suite voir où se si-
tue leur intérêt...»

Des gens intelligents... Il allait en prendre pour
son rhume, l'avocat, une fois rendu en Cour! «Le P'tit
Fouinard, c'est un ...!!!... d'insignifiant», l'ai-je entendu dire à l'arpenteur.

Je lui avais bien dit, pourtant!

«Et si nous allions voir ces gens que vous avez
rencontrés?» a-t-il proposé.

Un cheveu sur la soupe.

Tel qu'il sera relaté sur l'affidavit découlant de
cette rencontre, nous nous sommes rendus chez notre
ancienne voisine, Claire Franche, 347, rue de l'Indé-
pendance. Chose curieuse, l'avocat s'y est tout de
suite senti chez lui; il a même accepté de retirer son
manteau, non sans laisser échapper quelques plaintes
concernant la lourde charge de travail qui pesait sur
ses épaules. «Les gens s'acharnent à vous mettre des
bâtons dans les roues!» a-t-il dit.

Il avait l'air si découragé que la voisine a cru bon
d'acquiescer. Notre affaire va mal, ai-je pensé.

Et l'interrogatoire a commencé. Nom, prénom,
adresse, profession. En quelle année avez-vous acheté

cette maison ? Étiez-vous heureuse en ménage ? Vous entendiez-vous bien avec vos voisins ? Utilisiez-vous le petit chemin ? Depuis quand connaissez-vous la victime, ici présente ?

La voisine ayant répondu à toutes les questions — «Ça n'a pas été trop difficile», a-t-elle dit—, l'avocat l'a remerciée d'avoir accepté de nous consacrer un peu de son temps. «C'est la moindre des choses», a-t-elle répondu. «Nous nous reverrons à l'automne», a-t-il promis. Le sourire engageant. Ce n'était plus qu'escalade de politesses de part et d'autre. «Tout va bien», lança-t-il à mon intention. «Ah ! Bah ! Ouf ! Euh ! Ouains !» ai-je rapporté à Martin lorsqu'il s'est informé des résultats de notre démarche.

Qui vivra verra, dirait l'avo....

Il n'y a pas que les petits chemins. Les fleuves eux-mêmes s'érigent en barrières ; des nappes de brume rendent l'avenir incertain, les côtes s'évanouissent, on ne voit plus à dix pas devant soi. Jusqu'aux vagues qui rebroussent chemin. Des vents à l'emporte-pièce balaient l'estran, un piano joue quelque part des notes que personne n'entend, un brouillard sonore, les îles se perdent en conjectures, la vie entière se déploie, comme un linceul.

Il serait malhonnête de ma part de vous laisser croire que nos voisins de droite ne nous ont apporté que des ennuis. Certes, ils ont soumis le patrimoine à rude épreuve, les travaux de construction ont failli nous rendre fous et notre horizon est désormais entaché de leurs laides habitations, mais quand tout a été fini, on a pu voir une vieille dame avec un col de dentelle se pencher à la fenêtre, et leurs locataires se sont mis à marcher dans la cour ; certains souriaient ; pas tous, évidemment, c'aurait été trop demander, mais il s'en est trouvé pour sourire ; il y en eut même pour dire que nos arbres étaient beaux ; d'autres ont ajouté que nous avions de beaux chiens ; ils nous ont fait plaisir, ceux-là ! nous aimons beaucoup nos chiens. Pour tout vous dire, nous ne détestions pas voir ces bonnes et braves gens aller et venir sur le petit chemin ; leurs visages étaient mouvants, fuyants ; certains disparaissaient, mais ils étaient aussitôt remplacés. Le moins qu'on puisse dire, c'est que pour asseoir leur fortune, nos voisins de droite avaient misé sur une matière première abondante. De notre côté, nous trouvions là matière à réfléchir : le passage du temps, la vanité, la fragilité de l'existence, une mine d'or pour des artistes ! « Ils ont toujours froid, c'est terrible ! a dit Martin. Ils sont si pâles, si maigres ! Une chiquenaude suffirait à les renverser ! »

Le souffle lent des viscères.

Certains jettent sur le monde un regard désabusé. Je les redoute un peu, ceux-là !

Un petit homme tout gris est venu frapper à ma porte ; il voulait parler à cette femme si belle qu'il avait connue au temps de sa jeunesse. J'ai dû lui ouvrir tous mes placards pour lui prouver qu'il n'y avait personne chez moi qui corresponde à sa description. « J'm'en vais aux fraises », lance un grand gaillard de soixante-dix ans coiffé d'un chapeau de paille en plein mois de janvier. « J'serai pas de retour avant la fin de la journée ; vous seriez bien aimable de prendre les appels ! » Il n'y a pas eu d'appels et je ne l'ai jamais revu.

Une vieille femme vêtue de noir, bossue, cossue, lunettes à l'appui, s'avance sur le petit chemin. On dirait la fée Carabosse ! « De l'utilité de la canne pour les vieilles dames », me dis-je en la regardant traverser la cour, se diriger droit sur le cabanon. « Toc, toc », fait la canne. La vieille hésite, opte pour un virage à gauche, mais, à gauche, il y a la haie de gadelliers que nous venons tout juste de mettre en terre. « Attention, madame, attention », lui dis-je intérieurement. M'aurait-elle entendue ? La voilà qui lève le pied afin d'éviter la haie. Hélas, il faudra bien qu'elle le repose, un jour, ce pied ! me dis-je. Ce qu'elle fait, l'instant d'après, en plein sur la haie de gadelliers que nous venons tout juste de mettre en terre, Martin et moi, sans oublier nos deux fils.

Je laisse tomber le rideau.

Dix ans maintenant que nous sommes aux prises avec cette histoire sans queue ni tête, que nous nous débattons comme de beaux diables, étouffés par ces centaines de milliers, de millions et de milliards de contrats qui rapiècent le monde, comme l'écrit Thomas Bernhard. Et que fait le reste de l'humanité pendant ce temps? Certains séquencent le génome humain, d'autres s'en prennent à la mondialisation ou aux soins de santé. J'en connais qui ont appris l'allemand, l'espagnol. La Terre a effectué des milliers de rotations sur elle-même, des couples se sont faits, défaits, refaits; un tel est mort dans un accident de la circulation. Nos amis les Sarrasin se sont lancés en affaires et ça va plutôt bien pour eux. Ils parlent d'ouvrir une succursale à Lyon où ils ont de la famille. Si nous avions fait la même chose, nous serions riches et nous sèmerions la joie autour de nous.

«Comme si les riches semaient la joie autour d'eux», a dit Martin.

Les choses se corsent. Devant l'échec des négociations, notre voisin de gauche s'est allié à nos voisins de droite. C'est pour mieux te manger, mon enfant!

Martin s'inquiète à l'idée qu'on attribue des numéros aux étoiles, aux astéroïdes.

«Pourquoi vous ne lui cédez pas ce droit de passage, qu'on ait enfin la paix ici?»

Est-ce bien moi qui ai dit cela?

La voisine d'en-avant m'ayant téléphoné pour connaître ma position entre l'arbre ou l'écorce, je l'ai éconduite sans ménagement. J'ai même pris un ton excédé. Pensez: une dame si gentille! Fernand Petitête voulait lui boucher sa fenêtre. Ses ouailles n'auraient plus jamais vu le jour. Honte, honte à moi!

Je me demande parfois si elle se souvient de ce malheureux coup de fil qu'elle m'a donné, la voisine! Je présume que oui. Le sentiment d'avoir été victime d'une injustice ne se laisse pas facilement oublier. À quatre-vingt quinze ans bien sonnés, ma mère nous rebat encore les oreilles de ses démêlés avec sa sœur aînée. «Maman lui passait tous ses caprices», dit-elle, et elle s'indigne. Une vieille dame indignée! Je soupçonne parfois que ce qu'elle égrène avec tant de ferveur sur son chapelet, ma mère, ce ne sont pas des *ave maria gratia plæna*, mais toutes ces petites injustices dont elle a été victime au fil des ans : l'ingratitude de l'un, la médisance des autres ; les gestes inattentionnés, les mots malheureux. «Les victimes d'injustices ne portent pas toujours pancartes», me dis-je. La plupart n'ont jamais pensé à faire une grève de la faim. «Comme ces gens-là sont braves! Au lieu de tout casser, ils déposent des requêtes», écrit Kafka.

«Triste à dire, mais nous sommes, nous aussi, victimes d'injustice. Je crains pour notre avenir», ai-je dit à Martin.

À preuve, notre ami Pierrot ! Pas un Noël sans qu'il ne nous rappelle cette anecdote du temps de sa jeunesse, la fois où sans ressource pour nourrir sa famille, son père avait sollicité l'aide du curé ; ce dernier leur avait offert de la viande moisie. À nous aussi, on a offert de la viande moisie ; que ferons-nous au temps froid ?

Les bœufs avant la charrue, dirait l'avocat de la partie adverse.

Ce qu'il y a de terrible avec ce genre d'histoires, c'est qu'elles enveniment ce qui ne va déjà pas tout en détruisant l'harmonie les rares jours où celle-ci est à l'honneur.

Le jour où notre voisin a fait venir La Précaution du Québec était un de ces jours d'harmonie. C'était un dimanche; je venais de recevoir des exemplaires de mon dernier livre et je me sentais rassurée. Contre toute attente, les lettres ne s'étaient pas entassées les unes par-dessus les autres au beau milieu de la page. Il n'y avait pas non plus de ces traits d'union égarés à tort et à travers dans le texte; la page deux suivait la page trois, les phrases étaient complètes; pas toutes, mais presque. Force m'était de constater que l'imprimeur avait bien fait son travail, pour une fois. De son côté, Martin avait passé une partie de l'avant-midi à me lire. J'avais attendu son verdict dans une grande appréhension, mais il s'était montré indulgent et je m'étais lancée dans la rédaction des communiqués. C'est comme ça, Votre Honneur! Le moindre compliment me donne des ailes! Et je me mets à m'activer: fais ceci, fais cela. Une pitié! Mais trouvez-moi un écrivain qui n'aime pas les compliments et je vous concède toute l'affaire! Un droit de passage éternel, en tout temps et de toutes manières.

«Aurais-tu objection à ce que j'aille taquiner la perdrix?» a demandé Martin, une fois son devoir conjugal accompli.

Je n'avais aucune objection. Que les groupes de défense des animaux ne s'émeuvent pas, il revient toujours bredouille, Martin! «Bredouille, mais heureux», précise-t-il.

Une heure après son départ, les agents Bradefer et Filedoux frappaient à la porte. «Il y a des policiers qui veulent te voir. Qu'est-ce que tu leur as fait?» a demandé Frédéric.

Les policiers étaient grands et forts comme le sont tous les policiers dans l'exercice de leurs fonctions. Grands, forts, piaffant d'impatience, ils se tenaient debout devant la porte, masquant presque toute la lumière, cette lumière pâle d'octobre dont on ne sait jamais si elle est une menace ou un répit. J'ai tout de suite compris qu'ils étaient venus sur l'ordre des voisins. Les Ordres! Dire que je m'étais sortie indemne de la crise d'octobre...

«Ce sont vos voisins qui nous envoient, a dit le plus petit des deux, genre bouvier des Flandres.

— Ah, oui? Ils vont bien?

— Sarcastique, hein! a dit l'autre, et il s'est mis à griffonner dans un petit calepin.

— Vous êtes venus pour m'arrêter?

— Nous sommes ici parce que...

— Vous me donnerez bien le temps de préparer mes valises? J'aurais aimé embrasser mon mari avant de partir.

— N'essayez pas de jouer au plus fin avec nous...

— Si vous n'y voyez pas d'inconvénient, je préfé-
rerais qu'on ne me passe pas les menottes. Il y a mon
fils à côté...

— Racontez-nous donc ce que vous avez fait cet
après-midi...

— Cet après-midi ? Mais... On ne vous l'a pas dit ?

— Quoi donc ?

— ... que je suis écrivain...

— Êtes-vous en train de me dire que vous êtes
restée ici tout l'après-midi à écrire ? »

Il n'en revenait tout simplement pas.

« Mais oui, lui dis-je. Il n'y a pas que les communiqués ! Il faut préparer les publicités, concevoir une
affiche, boucler les entrevues ; tout ça ne se fait pas en
criant lapin...

— Je suppose que vous écrivez sur ordinateur », a
lancé le bouvier.

Son ton était méprisant.

« Bien sûr ! Il faut vivre avec son temps ! »

« Comment ça s'écrit *ordinateur* ? » a demandé
l'autre, qui semblait éprouver quelques difficultés à
consigner à la fois les questions et les réponses.

« Et vous ne vous êtes pas rendu compte que vous
aviez gravement endommagé la clôture de vos voisins avec votre ordinateur ? poursuivit le bouvier.

— Est-ce que j'écris qu'il y a eu délit de fuite ?
interrogea son collègue.

— Je ne me suis pas enfuie, monsieur l'agent, je
suis là. »

La remarque n'a pas eu l'heur de lui plaire.

« Heureusement pour vous, poursuivit-il, vos voisins — de braves gens au demeurant — se sont dits

prêts à passer l'éponge. À la condition que vous leur accordiez la permission de dormir sur vos terres. Autrement dit, que vous cédiez votre fond dominant à leur fond servant. Si j'étais vous, j'apposerais ma signature au bas de cette page... »

Je demande réparation, Son Honneur! Même mon amie Catherine a convenu que ça ne se faisait pas, et elle s'y connaît en chicanes et dommages, Catherine! D'abord, elle est avocate, ensuite... C'est comme la *Défense et demande reconventionnelle*, tiens! Elle ne lui a pas plu du tout, à Catherine! «Il faut faire enlever cette phrase, a-t-elle dit. Et celle-ci, et celle-là...» Vous voyez bien qu'il y a eu préjudice, Monsieur le Juge! Nos chagrins sont pour ainsi dire confirmés. Des autorités compétentes en la matière. On ne se plaint pas le ventre vide.

En ce qui concerne les jours déjà envenimés, la vie étant ce qu'elle est, je ne vois pas la nécessité d'entrer dans les détails. Il y a les petits soucis quotidiens; on manque de pain, de lait ; il faut repeindre les fenêtres, les chèques sont en retard. En 1993, Martin a subi une intervention à cœur ouvert. Sans compter qu'il y a parfois des morts, voyez-vous, des morts accidentelles, à la suite d'une longue maladie. À partir d'un certain âge, on peut presque dire que ça devient monnaie courante, les morts! On finit presque par s'y habituer, à force, quoique je n'en sois pas tout à fait sûre, je n'en mettrais pas ma main au feu, comme disait ma mère. Ma mère! Il y a longtemps qu'elle est venue nous voir. Rares sont ceux qui viennent encore nous visiter. Les gens ne savent plus par où entrer. Là où on nous reconnaît un droit de passage, le chemin est impraticable, obstrué qu'il est par un muret, une clôture, quatre pieux, une corde de bois ainsi que tout un stock de vieilles voitures sans compter les neuves. Les seuls visiteurs qui s'y risquent encore nous arrivent par la porte d'en-arrière, laquelle donne sur la cuisine, grande comme un mouchoir de poche! Imaginez le raffut quand les invités s'y présentent à quatre, à cinq ou à six! «Entrez, entrez, faites comme chez vous», leur dis-je, mais ils restent sur leur quant-à-soi naturellement. On n'enlève pas ses bottes à côté de la cuisinière! Quand j'essaie de les aider, je rate ma béchamel. Une fois, c'est tout le poulet qui a brûlé; le repas a été infect, les invités ne sont plus revenus; ils se contentent de téléphoner une fois de temps en temps. C'est la désertification du globe! À quoi sert une maison vide, Votre Horreur?

Nuit cauchemardesque. Un rêve récurrent, dirait un spécialiste. La caméra montre une maison abandonnée à deux doigts des centres d'achats. Elle a dû être bien jolie en son temps, cette maison! Sans doute faisait-elle la fierté de quelqu'un, un jeune couple, peut-être. «On s'est acheté une maison», annonçaient-ils fièrement aux parents, aux amis, lesquels se sont fait un plaisir de répandre la nouvelle. Hélas, des promotteurs immobiliers étaient passés par là, les mains pleines de boutiques! L'arrondissement a été déclaré zone commerciale, les avenues sont devenues boulevards; la petite maison s'est retrouvée encerclée, emmurée. On aurait dit le fromage dans la chanson *Le fermier prend sa femme, la femme prend son enfant qui prend le chat, qui prend la souris, qui prend le fromage...* «C'est la loi du marché, on n'y peut rien, nous», ont dit les élus municipaux, et le jeune couple a dû plier bagages. Qui voudrait habiter le terre-plein d'une autoroute? La cuisine donnait sur les feux de circulation. Il fallait attendre le feu rouge pour ouvrir la porte du frigidaire. À leur place, j'aurais mis le feu aux centres d'achats.

«Tu y es, à leur place», a dit Martin.

Il m'entend rêver maintenant. Où cela va-t-il nous mener?

Fenêtres placardées, solage qui s'effrite, la maison de mon rêve est toujours là. La pancarte À VENDRE est à moitié arrachée. Même les pissenlits ont foutu le camp. Sacré promotteurs, va !

«Un *t* à promoteur», a dit Martin.

Je trouve pour ma part que l'addition d'un *t* met en évidence le caractère dérisoire, pour ne pas dire la vanité des détenteurs du titre.

La bagarre a commencé quand Françoise Fougère s'est présentée sur le petit chemin. Blouse l'a aussitôt prise à partie.

«J'te défends d'passer par là!

— J'vais passer pareil! J'ai l'droit: c'est écrit noir sur blanc dans l'contrat.

— T'as aucun droit. L'avocat l'a dit.

— Un pourri, ton avocat!

— Comment, pourri? I' vient d'être nommé juge!

— C'est politique, ces nominations!

— J'vais t'en faire des politiques, moi...»

Et les coups ont commencé à pleuvoir. «Elle m'a bousculée», dit l'une. «J'ai reçu un coup de pied», dit l'autre. L'arpenteur prétend que si nous avions fait la même chose, nous n'en serions pas là aujourd'hui. Il dit que nous sommes devenus trop civilisés. Nous, c'est-à-dire l'humanité en général. Autrefois les gens ne s'embarrassaient pas de scrupules! «Cette histoire se serait réglée en un clin d'œil», dit-il. «Pourquoi ne pas vous faire justice vous-mêmes?» avait suggéré la première avocate à qui nous avions confié nos ennuis. La première avocate, le deuxième notaire, nous étions vraiment dans de sales draps! Martin n'ose pas le dire tout haut, mais il croit que j'ai été bien mal avisée le jour où j'ai confié à Maître Gazaille le mandat de nous représenter à La Cour. «Tu sais que Kafka était docteur en droit? Lui nous aurait sorti de ce pétrin», répète-t-il inlassablement. Pauvre Martin qui se fait des reproches non mérités! Si j'avais été plus ferme, si... «Si j'avais terminé mes études*», dis-je à mon tour. Les enfants ne sont pas en reste. Guillaume parle d'arrêter la musique pour se consacrer à la jurisprudence. Quant à Frédéric, il s'est mis à faire des poids et haltères tout à coup! (Quelle mouche le pique!)

N'empêche que cette chose-là, cette chose monstrueuse n'aurait jamais dû nous arriver. Pas à nous. Nous sommes des gens paisibles, conciliants. À ce sujet, Martin n'aura de cesse qu'il n'ait pris toute la ville à témoin. «Nous considérez-vous comme des voisins difficiles? Oui, non? Un peu?» «Jamais de la vie! Vous êtes tous très gentils», affirment la plupart des répondants. «Tout de même, il y a vos chiens», mentionne quelqu'un. «Je tiens absolument à savoir qui, a dit Martin. — La marge d'erreur peut-être», ai-je pensé.

Dans quelques jours, ce sera la Saint-Valentin. «Pourquoi ne pas en profiter pour manifester votre appréciation à ceux qui vous entourent?» propose l'animatrice à la radio. L'invitation n'est pas tombée dans l'oreille d'une sourde. La belle occasion de conclure une paix durable, me suis-je dit. En premier lieu, assurer Fernand Petitête qu'il pourrait emprunter notre

---

* En réalité, je les ai bel et bien terminées, ces études! C'est le diplôme que je n'ai pas obtenu. Entêtement? Négligence? Allez donc savoir! Mes travaux étaient terminés, tous très présentables, pas de quoi rougir une seconde, mais j'ai négligé de les remettre à mon prof de lithographie qui était pourtant le meilleur qui soit, et qui ne cessait de m'encourager: «Ça va, ça va, continue, Paris ne s'est pas bâti en un jour», disait-il, mais je ne me suis même pas donné la peine de lui présenter mes travaux! Aujourd'hui, il ne se passe pas une semaine sans que je rêve que je dois tout reprendre, et je rate mes examens!

échelle aussi souvent qu'il le désirerait. J'étais même prête à lui sacrifier Haïdn. Quant à la clôture, je ne doutais pas qu'avec un peu de bonne volonté...

J'avais à peine appuyé sur le bouton de la sonnette qu'ils se ruaient sur moi, Blouse, Fernand, le chat, le chien, la perruche, les générations montantes, et moi, j'étais là, ma boîte de chocolats (type Droste) à la main, sans défense! «Qu'est-ce qu'elle fait là? Non, mais quel culot! C'est de la provocation! — Appelle l'avocat», a dit Blouse à Fernand, et les petits se sont mis à me lancer des boules de neige, et c'est Françoise Fougère, venue me porter assistance, qui a été bien attrapée.

Le soir même, je jetais la radio par la fenêtre. «Tu es trop influençable», a dit Martin. Il aurait voulu récupérer la radio, mais elle était tombée dans la cour des voisins qui l'ont confisquée en tant que pièce à conviction, une histoire à coucher dehors! «Ç'a pas de bon sens», a dit la nuit, qui ne m'a jamais, jamais porté conseil!

QUESTIONS

1. Décrivez comment l'auteure, dès le premier paragraphe, réussit (ou ne réussit pas) à nous situer l'action, nous livrant ainsi les clefs de son récit.

2. À votre avis, la proposition de la partie adverse est-elle une proposition principale, une proposition complément d'objet direct ou une proposition indécente?

3. Quel est le procédé littéraire le plus fréquemment utilisé par la narratrice dans cette première partie du récit: le style direct? la répétition? l'insinuation malveillante?

4. Sauriez-vous épiloguer sur la phrase «*Il n'y a pas de problèmes, il n'y a que des professeurs*»?

5. Expliquez le sens de l'expression «s'il y a lieu» dans la phrase: «*Je serai reçue notaire s'il y a lieu.*»

6. Pourquoi selon vous le fils Petitête a-t-il abandonné ses études?

7. Seriez-vous en mesure d'établir un parallèle entre les enseignants qui se lancent en affaire et le taux d'échec scolaire?

8. Avons-nous bien entendu: l'avocate a-t-elle vraiment suggéré à la narratrice de se faire justice elle-même? Pour quelle raison?

L'embêtant avec ces histoires de procès qui n'en finissent plus, c'est qu'on ne sait jamais quoi faire quand on rencontre l'intimé chez le dentiste ou dans les magasins. Doit-on virer de bord et endurer son mal de dents ou faire face, quitte à le heurter, mine de rien, avec le panier d'épicerie ? J'y perdais mon latin. D'autant que si peu respectables qu'ils soient, ces gens-là n'en avaient pas moins des frères, des sœurs, des conjoints, des amantes ! Se faufiler à travers les uns et les autres exigeait une gymnastique mentale qui n'était pas piquée des vers. À quelle famille appartenait cette femme avec son manteau bleu, son visage pâle ? Amie, ennemie ?

J'aurais dû me montrer plus amicale, me dis-je, un matin, après une de ces rencontres fortuites. La pauvre fille n'avait rien à y voir ! Simple question de mésalliance. Mais c'est qu'on ne sait plus qui saluer ou ne pas saluer, à la fin ! Sans compter que j'ai toujours en tête cette vision de l'autre en train de se parjurer à bouche que veux-tu, sa façon à lui de nous prévenir qu'il est prêt à tout, qu'il nous fera une lutte sans merci. Et l'été qui s'est mis de la partie ! Moi, quand c'est l'été, je fais de la bicyclette, j'attrape des insolations, n'importe quoi plutôt que de me chicaner avec mes voisins. Déjà qu'il y a les enfants qu'il faut éduquer ! «Les filles font la baboune quand on leur refuse des cigarettes», se plaignait Blouse du temps où nous nous entretenions, elle et moi, de part et d'autre du petit chemin. Je compatissais d'autant plus que je savais pertinemment qu'elles ne faisaient pas la baboune à tout le monde, les filles! Chez nous, les enfants, ça allait plutôt bien. Le fils aîné jouait de la batterie dans un groupe rock, le cadet écrivait des scénarios de film d'action (bing, bang, boum). Mais toute cette controverse faisait fuir la clientèle. «Est-ce que ça fait partie des dommages que nous pourrons réclamer à La Cour?» ai-je demandé à l'avocat.

«Le Québec, un petit pays plein de haine», se désole Raymond Lévesque à la radio. Je me refuse cependant à le croire. Je ne suis pas pleine de haine. Martin non plus. Nos chiens ne pensent qu'à se faire caresser. Ils regardent tous ceux qui passent avec convoitise et admiration. Des regards énamourés. J'en connais qui n'en méritent pas tant.

«Deux peuvent mentir jusqu'à faire pendre un troisième», dit Martin qui donne dans les mathématiques appliquées, ces temps-ci.

J'en ai eu froid dans le dos.

Téléphone de l'avocat. Il rit à gorge déployée. «Notre affaire avance», me suis-je dit, pleine d'espoir. Peut-être avait-il réussi à conclure une entente, peut-être que tout irait désormais pour le mieux dans...

Je me surpris à rêver des célébrations qui ne manqueraient pas d'entourer une pareille entente. Un défilé? Pourquoi pas? Je voyais déjà les banderoles, rue des Vendus, les parents, les amis, formant une haie d'honneur, applaudissant à tout rompre. En tête du cortège, Blouse et Fernand, vêtus de leurs plus beaux atours, suivis DuPoète, en mauvaise compagnie, les fils et les filles, sans oublier le P'tit Fouinard, toutes les voix égales entre elles, comme dans une fugue de Bach.

L'avocat riant toujours, le défilé s'allongeait: le chien, Carole, Marjorie, Étienne SansChagrin, monsieur et madame Talbot, mesdames Chateau et...

«Votre voisin a changé de procureur, dit enfin l'avocat. Il a engagé Jacques Vandal. Comment? Vous ne connaissez pas Jacques Vandal dit Gamique? Vous n'y perdez pas grand-chose, remarquez! Ses papiers ne sont pas toujours corrects, corrects! J'ai plaidé contre lui récemment. Je l'ai emporté haut la main. C'est pas les gros chars! D'la petite bière, plutôt! Ha, ha, ha! Il veut vous interroger, au fait...»

«Bien volontiers», ai-je dit.

Nous nous sommes entendus pour la dernière semaine de juillet, mais la dernière semaine de juillet, Maître Vandal dit Gamique n'a plus voulu nous interroger et la cause est restée en suspens. « L'enfer est pavé de causes en suspens », a dit Catherine.

Fin août, Gamique tombait malade. « Pas mal malade, ç'a l'air, a dit notre avocat. Inquiétez-vous pas, je...

— Nous ne nous inquiétons pas le moins du monde ! » lui dis-je.

Comme si nous allions nous en faire pour la santé de l'avocat adverse. Je ne nie pas que nous soyons un peu sots, mais à ce point...

« ... je lui donne jusqu'en septembre pour présenter sa défense ; après, je frappe le grand coup », promet Maître Gazaille.

Deux mois plus tard, la défense n'était toujours pas déposée. « J'ai la plume la plus méchante en ville, ai-je dit au $her petit maître. Peut-être vaudrait-il mieux pour vous que vous nous donniez pleine et entière satisfaction... » Le lendemain, le télécopieur crachait un projet de lettre que Maître Gazaille avait rédigé à l'intention de nos voisins de droite. « L'asphalte fait loi, écrivait-il. Je vous conseille de vous rendre. Appelez-moi quand vous serez prêts à signer. P.S.: Vous seriez gentils de ne pas faire d'histoires, je suis débordé. »

Je n'ai pas mis de temps à réagir. « Vous n'y êtes pas du tout ! Ils ne sont nullement gentils, ces gens ! Au contraire, ils sont trois, ils ont juré notre perte ! C'est une coalition !

— Si vous l'écriviez vous-même, cette lettre », a dit l'avocat, vexé.

On n'est jamais si bien servi que par soi-même, dirait l'avocat de la partie adverse, donnant ainsi dans le mille pour la première fois de sa vie.

«Normal? ai-je demandé à Catherine.

— Normal! Nous sommes formés pour ça!

— Et tous ces retards?

— Une année de plus ou de moins...

— Mais il n'a déposé les pièces qu'à la toute dernière minute...

— Excellente tactique de sa part», a-t-elle conclu.

Ainsi donc c'était une tactique... Mais une cause juste a-t-elle besoin de tactiques?

Je n'ai pas écrit la lettre. Comme je n'ai pas écrit la lettre, l'avocat n'a plus su que faire. «Attendons vos instructions», a-t-il écrit. Deux fois plutôt qu'une. Ceux qui ne me croient pas n'ont qu'à venir vérifier de visu. Je suis toute disposée à leur en mettre plein la vue.

Et nous n'avons plus entendu parler de l'avocat. Pendant un certain temps, du moins. J'avais beau lui téléphoner pour lui donner ces instructions qu'il me réclamait à grands cris, je tombais inévitablement sur la souris; le fromage, lui, avait disparu. «Parti avec la caisse», a présumé Martin. «À moins qu'il n'ait pris sa retraite», spéculai-je. Mieux encore: armé jusqu'aux dents, un client insatisfait le retenait en otage jusqu'au règlement de sa cause!

Hélas! Maître Gazaille n'avait pas pris sa retraite. Une voiture l'avait raté de peu, mais dans l'ensemble il se portait à merveille, et il a bien fallu qu'il rapplique, un jour! «Vandal me presse d'agir», dit-il non sans une pointe d'humeur. «À croire qu'il n'a pas d'autre dossier que celui-là! Il est vrai que ce ne sont pas les causes qui l'étouffent!»

Brave Gamique, va! Qui eut cru que nous lui serions redevables, un jour?

«Et si nous engagions un arpenteur? a dit Maître Gazaille. J'en connais un qui jouit d'une excellente réputation à La Cour...»

Et vous, Maître Gazaille, jouissez-vous d'une excellente réputation à La Cour? aurais-je dû lui demander. Mais en matière d'avocat, nous n'étions que des néophytes, Martin et moi.

L'arpenteur nous est tombé dessus comme une bordée de neige.

«Quelles sont vos prétentions? a-t-il demandé.

— Des prétentions, moi? Pour qui me prenez-vous?

— La pire entente sera toujours meilleure qu'un procès!

— Voilà bien ma chance!

— Je suppose qu'il vous a dit que vous aviez un beau dossier?

— Qui ? Maître Gazaille?

— C'est leur expression favorite! Vous n'avez pas entendu sonner le tiroir-caisse?

— ...

— Oh, vous n'êtes pas la première à qui ça arrive! Y en a une qui m'appelait régulièrement l'an dernier. Elle n'arrivait jamais à le joindre. Elle pleurait. Des larmes de sang.

— Vous les avez vues?

— Quoi?

— Ses larmes

— Qui rit aujourd'hui pleurera demain.

— ...

— Vous savez ce que je crois? Je crois que vous êtes tombés dans un beau merdier. Sacré Gazaille! Comme d'habitude, il compte sur moi pour le tirer d'affaires ! Il laisse entendre que je ne dois relever que les clauses qui vous avantagent. C'est vous qui l'avez demandé ?

— Jamais de la vie !

— Je ne me nourris pas de ce pain-là, moi ! Je dirai ce que je découvrirai. Point final.

— ...

— Ne vous en faites pas trop, j'ai trouvé plein de papiers en votre faveur. Quand je pense qu'il a votre affaire en mains depuis deux ans... Il ne s'est même pas donné la peine de vérifier les titres ! Il dit que vous le menacez de loger une plainte au Bâton. C'est vrai ?

— Euh !

— Qu'est-ce que c'est que ce papier que vous me tendez ? Le certificat de localisation ? Il le connaissait ? Est-ce qu'il n'aurait pas dû me le fournir ? Ah, ma pauvre dame !

— Il n'y a pas que moi, il y a aussi mon mari. Sans compter la voisine.

— Quelle voisine ?

— La voisine d'en-avant. Elle possède également un droit de passage sur le petit chemin.

— Une autre qui versera des larmes de sang.

— ...

— Ne me parlez pas de justice ! J'y suis allé à La Cour, l'an dernier. Une histoire avec un promoteur immobilier...

— Comment ? Vous aussi ?

— J'ai gagné, mais l'avocat s'est servi le premier. Que croyez-vous qu'il m'est resté ?

— La moitié ?

— Rien. Rien du tout. Une autre fois, j'ai été convoqué avec mon fils. Nous avons attendu trois heures, l'affaire a été reportée à une date ultérieure. Toutes nos affaires sont toujours reportées à des dates ultérieures. D'après ce que je peux voir, c'est aussi votre cas! De braves gens comme vous... Ça me fend le cœur!»

Et il est reparti, et je suis restée seule à ma table devant une tasse de café vide, à ne rien faire d'autre que me désoler et me désoler encore pendant que la neige tombait de plus en plus dru. «La justice, alors, la justice», pensais-je, répétant machinalement les mots du petit homme quelque peu hirsute qui avait vite repris le large. «Je n'aime pas ça, je n'aime pas ça du tout! On perd son âme dans ce genre d'affaires», avait-il lancé avant de partir.

Perdre son âme! Voilà pourquoi l'avocat n'arrivait à rien. Avait-il seulement une âme, cet homme?

«Incidemment, si je vous faisais parvenir ma note d'honoraires», me glisse Maître Gazaille au téléphone. Faites, Maître, faites donc! Maître Gazaille ne s'en est pas aperçu, mais il vient de commettre un anglicisme. En français, *incidemment* signifie de façon incidente, c'est-à-dire accessoire ou marginale. Je ne crois pas que Maître Gazaille considère ses honoraires comme quelque chose d'accessoire ou de marginal et, en ce qui nous concerne, il n'y a rien là qui soit accessoire, je vous prie de me croire! C'est même plutôt terrifiant, ces notes d'honoraires! En première page, il est mentionné que Le Bâton autorise des frais d'intérêts de 24%. Magnanime, Maître Gazaille se contentera d'un maigre 18%. Ouf, je respire! N'empêche que Maître Gazaille aurait dû utiliser *à propos* plutôt qu'*incidemment*. Les choses auraient au moins eu le mérite d'être claires entre nous.

«Est-ce qu'il a le droit de me facturer des affidavits que j'ai moi-même rédigés?» ai-je demandé à Catherine.

— Pourquoi pas?

— Et toutes ces tractations en coulisses avec Maître Vandal...

— Le train-train habituel.

— Et ces documents que je lui ai fait parvenir... Il prétend les avoir lus, mais c'est à peine s'il y a jeté un coup d'œil! Jamais il ne nous a fourni le moindre avis juridique. Toutes ces démarches ont avorté, lui-même n'ayant pas cru bon de leur donner suite !

— Tout le monde peut se tromper...

— À 150 $ l'heure ?

— Un minimum !

— Et ce projet de lettre que nous avons dû refuser ?

— Ma pauvre fille, tu ne fais vraiment pas le poids», a dit Catherine en soupirant. Et je soupire à mon tour. Les honoraires ne devraient-ils pas honorer un résultat effectif ? « Avoir le notaire à l'œil et lui payer ses honoraires seulement d'après son résultat effectif et non d'après les prescriptions officielles et légales (et les opinions notariales). Les honoraires doivent *honorer un succès effectif*», écrit Thomas Bernhard, page 184.

Ce qui me console, c'est que nous soyons la partie de première part, ai-je dit à Martin.

Maître Gazaille m'assure qu'il sera prêt à temps. «Je la plaiderais demain, cette cause, s'il le fallait!» La voix est rassurante. «Vous ne vous imaginez pas le show que je vais vous faire en Cour», ajoute-t-il. Sans compter qu'il a le juge dans sa poche. «La dernière fois que j'ai plaidé devant lui, il a laissé entendre que je ne m'étais pas trompé de vocation!»

«Intelligent, mais vantard», a conclu Martin.

Incidemment, lui dis-je.

Incidemment, nous avons dû faire un emprunt pour régler les honoraires. Nos voisins, eux, continuent de vivre comme si de rien n'était. Ils aménagent des plates-bandes, ramassent nos feuilles mortes, s'enferment dans le garage pour bricoler leurs petites intrigues. «Leur joyeux labeur ménager», commente Martin. «C'est pour mieux nous confondre», lui dis-je. Plus ils nous font du tort, plus ils s'efforcent de se montrer amicaux. C'est comme une revanche qu'ils prennent, une sorte de phénomène compensatoire. Ne pousseront-ils pas la fourberie jusqu'à assister au concert du dimanche? Imaginez ma surprise lorsque je les ai aperçus dans une loge en face de la nôtre au beau milieu du concerto de Mendelssohn! Ma soirée en a été toute perturbée. La violoniste n'était pas mal, mais je n'arrivais pas à détacher mon regard du groupe qu'ils formaient avec leurs femmes. (Les femmes! Elles épousent le premier venu!) «Ils cherchent un alibi», ai-je chuchoté à l'oreille de Martin. «Chut!» a dit quelqu'un. J'ai essayé de me concentrer sur la musique, mais l'idée qu'ils puissent être là, devant moi, à faire semblant d'écouter le concerto de Mendelssohn, comme s'ils y comprenaient quelque chose, ça ne me rentrait tout simplement pas dans la tête et j'ai pensé qu'il faudrait que j'écrive quelque chose là-dessus: des gens qui se regardent par-delà la musique, la haine tendue comme un fil d'une loge à une autre.

La haine... Les haïssais-je?

À vrai dire non. «Le frappeur hait plus que le frappé, ai-je dit à Martin. Normal, ne sommes-nous pas comme un muet reproche à leur endroit?»

— Muet, muet, faudrait tout de même pas exagérer!» a-t-il répondu.

En réalité, j'essayais simplement de comprendre. On a beau être la partie de première part, l'erreur est humaine! À quel moment le jeu avait-il basculé? À quel moment s'étaient-ils mis à nous haïr, et pourquoi? Nos voisins s'étaient d'abord montrés attentifs à notre égard. «Circulez, circulez», disaient-ils aux ouvriers qui obstruaient le petit chemin avec leurs camions, leurs pelles mécaniques. Quelques semaines plus tard, c'était eux qui bloquaient la route! M'étais-je montrée intransigeante? Le P'tit Fouinard prétend que tout est de ma faute. Un moyen prétendeur, le P'tit Fouinard! *The great pretender* en personne! Il oublie que nous étions coincés entre l'arbre et l'écorce. Aurions-nous dû baisser les bras, abdiquer? Et la justice? Ne faut-il pas se battre pour que justice règne?

«Je laisse ici mon fils contre qui se dresse tous mes voisins», se lamentait Guillaume de Poitiers au moment de mourir. Pour rien au monde, je ne voudrais laisser mes fils chéris entre les mains de nos voisins. Des enfants élevés dans l'amour et le désordre, pensez... Ils n'en feraient qu'une bouchée! Sans compter que c'est toujours un peu risqué, ces affrontements! *Chicane de clôture, un mort*, lisait-on à la une du journal, la semaine dernière.

Je me demande ce qu'il va penser de tout cela, le juge LeSévère! Est-ce qu'il porte bien son nom? J'imagine son beau visage empreint de lassitude. Après tout, jongler avec la nature humaine n'a rien de particulièrement réjouissant.

«Beau visage? Lassitude? répète Martin, ébahi.

L'emprunt n'ayant pas suffi, les états de compte s'accumulent sur le bureau. «Faisons comme si de rien n'était», ai-je dit à Martin, mais à toutes ces factures s'en ajoutaient d'autre, qui ne nous appartenaient pas en propre, les gens du coin ayant pris l'habitude de nous apporter les leurs. Quand il y en a pour un, il y en a pour deux, disaient-ils, et nous nous sommes retrouvés avec une collection de notes d'honoraires tout à fait remarquable, à commencer par celles de Maître Vandal dit Gamique qui sont, sans contredit, les plus substantielles de toutes, du jamais vu d'après mon beau-frère qui est à la fois avocat, juge et arbitre, et qui s'y connaît dans le domaine. J'envisage actuellement la possibilité de vendre cette collection à la Bibliothèque nationale en même temps que mes papiers personnels, lettres et manuscrits de toutes sortes. J'espère ainsi renflouer mes coffres dans un avenir très très prochain. C'est du moins ce que j'ai dit au directeur de la caisse quand il s'est mis à lésiner sur la marge de crédit.

Les avocats sont inquiets, lit-on à la une du journal. Qu'est-ce qui les préoccupe de la sorte? L'accès à la justice?

En réalité, Le Bâton s'oppose à ce que des pouvoirs jusqu'ici exclusivement réservés aux greffiers et aux juges soient étendus aux quelques 3 500 notaires du Québec. Ce qui m'inquiète, moi, c'est qu'il y ait 3 500 notaires au Québec! On aurait souhaité qu'ils réservent leurs activités pour les grands centres comme le font les médecins, mais non! Il semble que chaque municipalité ait le sien. L'Isle-Verte, par exemple! Un village paisible, presque endormi, en bordure du fleuve. Eh bien, il y a un notaire à L'Isle-Verte! Si je le sais avec une telle certitude, c'est que nous y sommes passés, l'été dernier, et que nous y avons découvert une sorte d'enclave avec pancartes, drapeaux et oriflammes; on se serait cru sur le petit chemin! Est-ce à dire que nous ne sommes plus seuls? ai-je demandé à Martin. D'autres que nous avaient vécu ou vivaient encore les mêmes tourments?

Les hommes se divisent en deux catégories: ceux qui n'ont jamais fait appel à la justice, ceux qui ont déjà fait appel à la justice. Bien qu'ils refusent parfois de se l'avouer, ces derniers en sont restés amers, «désillusionnés», disent-ils. La seule évocation de la chose les fait frissonner. Quant aux autres, ils évoluent dans la vie avec une grande sérénité jusqu'à ce que...

Le traversier n'attendait plus que nous pour quitter la rive. Une fois sur l'île, nous avons lâché nos bicyclettes en direction de la pointe, une beauté à couper le souffle! Jamais paysage ne m'a à ce point ému et comblé. «Nous devrions y acheter une maison, ai-je dit à Martin. Regarde-moi ces prés fleuris, odorants, ces grèves dénudées, tout ce beau remue-ménage de marées qui montent et redescendent, escortées d'une suite d'oiseaux, une suite en do majeur!»

«Mais... il y a aussi des Frenette», nous prévient un dénommé Marchand.

«Effectivement, confirme Gabriel, un ami à nous qui est historien et qui a effectué de nombreux séjours sur l'île; effectivement, les Marchand et les Frenette sont à couteaux tirés depuis des générations.»

«Sans oublier la querelle des anciens et des modernes», renchérit une dame.

Elle nous raconte comment on a empoisonné l'eau de son puits pour l'obliger à quitter sa maison sous prétexte qu'elle contrevenait aux standards actuels. «Alors là, les Marchand et les Frenette», pensions-nous mélancoliquement sur le chemin du retour.

À peine étions-nous arrivés que la sonnette s'est mise à carillonner, on se serait cru à Pâques ou à la Trinité! Martin est allé ouvrir pour se retrouver en présence d'un livreur de pizzas. «Vous me devez dix-huit dollars», a dit le livreur en lui mettant dans les mains une boîte, format géant, non recyclable en sus! Martin a protesté, mais l'autre ne voulait rien savoir. Si nous ne les voulions pas, ces pizzas, nous n'avions qu'à les donner aux chiens. L'important, c'était qu'on le paie rubis sur l'ongle. J'ai tenté de m'interposer —

nous n'avions rien commandé, comment se faisait-il que? — mais le livreur n'en démordait pas sous prétexte qu'il perdrait son travail si nous refusions de payer, ses enfants mourraient de faim. Étions-nous prêts à assumer une telle responsabilité?

Nous avons conclu que non. Martin a sorti vingt dollars de sa poche et les a tendus au livreur. Nous aurions bien aimé savoir combien il avait d'enfants, mais il est reparti sans demander son reste. En refermant la porte, j'ai cru voir Blouse et Fernand qui se tordaient de rire à la fenêtre, mais je me trompe sans doute, nous sommes devenus si suspicieux...

«Est-ce que ça fait partie des dommages que nous pourrons réclamer à La Cour?

— Quoi? Les pizzas? s'enquit l'avocat.

— La suspicion!... Ce n'est pas notre genre! Et cette histoire de camion de déménagement...

— Quel camion de déménagement?

— Une semi-remorque. Le conducteur s'est garé dans la cour et il s'est mis à charger les poubelles, la table de pique-nique. Il voulait que je l'aide à sortir le lave-vaisselle. «Vous signez ici», a-t-il dit.

— Vous croyez que...

— Naturellement. Sans compter la succession.

— Quelle succession?

— Celle du vieux docteur Plaisance. On nous réclamait 250 000 $ pour une dette que nous n'avions pas commise. Une semaine plus tard, c'était 789, 98 $ pour des brosses à cheveux.

— Ce sera tout pour aujourd'hui », a dit l'avocat. Il avait un grand pli soucieux au milieu du front.

Toutes nos manœuvres de survie se retournent contre nous. Le détecteur de fumée se déclenche pour un oui ou un non. Martin a installé une lampe-témoin pour éclairer la cour. De quoi attirer l'attention des voleurs, lui dis-je.

Cinq jours avant la date fixée pour le procès, nous étions convoqués chez l'avocat.

«Beau travail, Félix!» a dit Maître Gazaille à l'intention du géomètre. Nous étions tous très fiers du travail de l'arpenteur qui nous a raconté comment il s'était enfermé dans son grand bureau en défendant qu'on le dérange. Il avait étendu ses documents autour de lui et s'était attelé à la tâche, «une tâche monumentale», a-t-il dit, le défi étant de comprendre comment les choses s'étaient passées à l'époque. «C'est ça qui est important, a-t-il expliqué. Le juge voudra savoir quelles étaient les intentions à la base de toutes ces tractations. Des erreurs peuvent se glisser dans les contrats, lesquels donnent parfois lieu à des interprétations contradictoires ou erronées — c'est le cas pour vous actuellement —, mais il n'y a que l'intention qui compte. — Beau travail, Félix, beau travail», a répété l'avocat, qui semblait pressé d'en finir tout à coup. Peut-être craignait-il de ne pouvoir soutenir la comparaison... D'autant qu'il avait une bien mauvaise nouvelle à nous communiquer. De meilleures chicanes s'étant profilées à l'horizon — des chicanes fédérales-provinciales en comparaison desquelles les nôtres ne faisaient pas le poids — le juge LeSévère, qu'il avait dans sa poche il y a quelques jours à peine —, lui avait faussé compagnie. L'affaire n'était plus du tout dans le sac, car son remplaçant... Mon Dieu, son remplaçant... «Connaissez-vous ça un deux de pique? a demandé Maître Gazaille. Savez-vous ce que c'est, un quotient intellectuel?»

Nous sommes revenus chez nous atterrés. Ce que nous y avons découvert n'était pas pour arranger les choses. Blouse et Fernand avait profité de notre absence pour louer notre fond dominant à La Municipalité, laquelle en avait un urgent besoin pour entreposer ses neiges usées. C'est là que nous avons pensé à joindre le Comité pour les Olympiques en je ne sais plus quelle année. Je dis nous, mais c'est Martin qui a eu l'idée. «Pas la peine de remplir le fleuve, nous avons tout ce qu'il faut ici», a-t-il expliqué aux membres du Comité, lesquels se sont montrés intéressés, mais prudents.

«Dans l'éventualité où nous acceptons votre proposition, votre voisin accordera-t-il les autorisations nécessaires? ont-ils demandé.

— Vous serez nos ayants droits», a répondu Martin.

C'était délicat, quand même! Blouse et Fernand ne supportaient déjà pas de nous voir aller et venir sur le petit chemin, imaginez leur réaction lorsqu'ils verraient arriver les caméras de télévision du monde entier. Sans compter le comité international à qui il fallait graisser la patte à tout bout de champ! En contrepartie, j'étais persuadée que les filles ne verraient pas d'un mauvais œil la venue des athlètes et de leurs entraîneurs, une occasion unique de parfaire leurs connaissances et de...

Le Comité a exigé des garanties avant de s'engager plus avant dans le processus. D'où nous venait cette montagne de neige ? Pouvions-nous leur assurer des approvisionnements réguliers ?

Martin n'a pas lésiné sur les détails ; il a d'abord dressé un historique du conflit à partir de l'intention du propriétaire jusqu'à nos déboires actuels en passant par la nécessité de remettre Fernand Petitête à sa place, une fois pour toutes. N'était-il pas tenu par la loi de se comporter en bon père de famille ? Il n'a pas mâché ses mots, Martin, il leur a mis cartes sur table, le plus honnêtement du monde, et c'est en toute connaissance de cause que le Comité a décliné l'invitation, d'ailleurs tous ceux qui se montrent intéressés à acquérir notre belle propriété finissent par décliner l'invitation. Pendant ce temps — grosse pelle, moyenne pelle, petite pelle, l'histoire de Bouton d'Or en pire — nos voisins s'en donnent à cœur joie. Les générations montantes savent à peine se tenir debout qu'elles sont mises à contribution. Martin a cru de son devoir de le signaler à la DPJ, mais le responsable a expliqué qu'il ne pouvait rien faire. «Nous sommes impuissants devant ce genre d'abus, a-t-il dit. Si vous en glissiez un mot à la juge Raffiot...»

«À votre place, j'irais déposer les flocons sur le bureau du ministre», a suggéré la juge.

Il fait froid. Il fait noir. Les nuages affichent complet. Même les arbres ont l'air chagrin. Le message suivant vient de s'afficher à l'écran. «Vous pouvez bien arrêter de taper, personne n'est à l'écoute.»

«Et le résidu? ai-je demandé à l'arpenteur en lui montrant la section ainsi nommée dans le rapport de son collègue*.

— Vous n'allez pas vous tracasser avec ça!

— Comment ne pas nous tracasser? C'est écrit en toutes lettres: partie un, partie deux, de figure irrégulière, au sud la rue des Vendus, la rue de la Noix à l'ouest, une superficie de 44,5 mètres carrés! Les relevés ont été faits le 17 décembre...

— L'expert se contente d'officialiser les prétentions de son client. Si vous voulez mon avis, ce rapport a été rédigé sous la menace.

— La menace?

— Un arpenteur consciencieux ne se permettrait pas de telles énormités...»

Ouf! J'ai cru que ça y était, cette fois! Voir les prétentions du voisin si bien officialisées dans un document faisant fi de tous nos droits passés, présents et à venir, ça nous a sérieusement ébranlés! «Admirons la puissance du langage», ai-je dit à Martin. Ce que leur génial arpenteur décrivait comme le résidu Petitête n'était rien d'autre que cette parcelle-échantillon que j'avais moi-même délimitée avec les enfants et sur laquelle nous avions recensé au fil des ans plus de trois cents espèces, du thlaspi à l'euphraise en passant par

* Ovide, Ovide de Basse-Souche, B.Sc. A. A. G.

l'achillée, l'érigéron, l'érodium, la capselle, la mauve, la linaire, trèfle blanc, trèfle jaune, trèfle agraire, sans oublier le rhinanthe crête-de-coq, le galeopsis à tige carrée et combien d'autres que je ne me hasarderai pas à nommer ici de peur d'en oublier.

«Les lieux n'ont pas la même signification pour tout le monde», a officialisé Martin.

L'avocat se prépare au pire. Il réclame un résumé de la situation, la façon que je vois ça, les enjeux, les dommages de même qu'un portrait-robot des diverses personnalités mises en cause. Et que ça saute!

La notaire a les cheveux noirs de Monica la mitraille, mais elle n'est pas à recommander pour autant. «Pas étanche», d'après ce qu'on raconte en haut lieu, mais allez donc savoir ce qu'il en est, les gens ont plus d'un tour dans leur sac! C'est pas clair, tout ça!

L'ancienne voisine, c'est madame Franche, Claire Franche, coiffeuse de son état. Auteure de Françoise Fougère. Témoin à charge. À ne pas confondre avec Charlotte LeComble, fille de Clément Lecomble. Il eut suffi qu'elle renonce à ses prérogatives, celle-là, pour que nous puissions vivre en paix sous le couvert des arbres qui fournissent à la fois l'ombre et toutes sortes de cochonneries, disent certains. Beau sujet de litige, ces arbres qui laissent tomber leurs feuilles, à l'automne. Sans compter les fleurs, les graines et toutes ces bibittes dans l'orme, «une espèce protégée», dit Martin à ceux qui osent parfois s'en plaindre. Et je ne parle pas des araignées! Des cocons tissés serré. Les murs en sont couverts. Nous avons dû appeler les pompiers. Je vous laisse deviner la facture. Françoise Fougère n'en est pas revenue. Ah, Françoise Fougère! Si elle avait accepté l'échange que lui proposait le voisin, nous n'aurions pas eu à prendre parti pour l'une contre l'autre, un dilemne cornélien pour nous qui étions déjà sollicités de toutes parts, dites oui, dites non, un référendum n'attend pas l'autre! Si Françoise Fougère avait accepté l'échange que lui proposait le voisin, ce dernier n'aurait pas consulté un avocat et les troubles ne se seraient pas produits. De ces deux parcelles de terrain, nous aurions fait une zone à vocations multiples avec fontaine, bancs publics, rampes d'accès et panneaux d'interprétation; les jeunes du secondaire seraient venus y vendre du chocolat afin de financer leurs activités parascolaires. À la condition naturellement que La Municipalité leur accorde un permis, ce dont je ne doute pas le moins du monde, dix-sept et quatre-vingt dix-huit, elle vendrait son âme pour moins que ça, La Municipalité! Y a qu'à voir la façon dont elle aménage le territoire! Un territoire déjà tout aménagé, une beauté naturelle, si c'est pas malheureux...

«Rien n'arrive pour rien; vous allez finir par trouver des éléments positifs dans toute cette histoire», disent les gens. En ce qui me concerne, je ne crois pas aux vertus pédagogiques du malheur. Je sais depuis longtemps que l'homme est un loup pour l'homme. Pas besoin de me mettre les points sur les i. Pour les travaux pratiques, on repassera. Quant aux dommages...

Le souvenir de la maison familiale est désormais entaché. C'est pourtant joli, un souvenir de maison familiale! Il n'y avait pas de rideaux aux fenêtres, chacun allait et venait à sa guise; Martin chantait en nettoyant le frigidaire. Les enfants laissaient traîner leurs cœurs de pommes, le chat passait ses nuits à jouer sur le piano. Nous avions refait les planchers, la plomberie. La chambre du haut était parfaite pour dormir ; les invités y oubliaient leur montre, leurs bas, leur soutien-gorge, leur robe de nuit.

## EN RÉSUMÉ

1. Spéculateurs fonciers obligent, La Municipalité adopte le règlement de zonage qui permettra à des entrepreneurs sans scrupules d'abattre les arbres, de répandre l'asphalte et de bâtir des habitations communautaires en carton fort.

2. La Compagnie (Québec inc.) ne va pas laisser passer une si belle occasion. Elle achète le chemin de droite et forme une coalition.

3. Fernand Petitête entreprend la construction de son grand œuvre. (Les juges réclament un réajustement de leurs honoraires.)

4. Je reçois la *Défense et demande et reconventionnelle*.

5. L'avocat ne répond plus.

6. Interrogatoire de Claire Franche. Je rédige des affidavits qui me seront facturés par $her Petit Maître.

7. La fée Carabosse pile sur la haie de gadelliers que nous venons tout juste de mettre en terre, Martin et moi ainsi que nos deux fils.

8. Je reçois la visite des agents Bradefer et Filedoux. (Ils sont bien les seuls, plus personne ne vient nous visiter.)

8. Engagement de Maître Vandal dit Gamique. «C'est pas les gros chars», dit l'avocat.

9. «La pire entente vaut mieux qu'un procès», affirme l'arpenteur.

10. Nous nous préparons au pire.

Jeudi, 12 avril! Triste jour s'il en fut. Ni gris ni ensoleillé. «Impartial», dirait un juge.

Le cœur à la traîne, nous roulons en silence. Devant nous, la route, sinueuse, accidentée. Dépassement interdit. Nous roulons, roulons, nous suivons le pointillé, et derrière nous, nos voisins roulent aussi, le cœur également à la traîne.

Mais qu'est-ce que je dis? Je me laisse emporter, je crois. Ces gens-là n'ont pas de cœur! Ils ont une voiture, un skidoo, des pelles, mais un cœur, une âme? Allons donc! Savent-ils seulement ce que c'est? «Est-ce que ça se mange?» diraient-ils s'ils en entendaient parler, mais cela ne risque pas de se produire, car ils n'entendent rien à rien, ces gens! «La méchanceté incarnée», a dit mon beau-frère, et il sait de quoi il parle, mon beau-frère; d'abord il est avocat, ensuite...

Nous roulions, roulions, partie adverse derrière partie adverse, demandeurs et défendeurs, offenseurs et offensés, sans oublier l'avocat des autres que nous ne connaissions pas encore, mais que nous apprendrions vite à connaître, un homme de petite taille qui se mettait à trépigner dès que les choses n'allaient pas à son gré, «un chien couché à côté du sac de moulée», pensais-je. Il porte un coupe-vent de nylon marine avec un bande rouge, et il raconte qu'il sera millionnaire, un jour! En attendant, il loge dans un troisième sous-sol ; on le voit parfois à l'épicerie acheter du mauvais steak. Le bruit court qu'il...

Court toujours, bruit !

Une sirène hurle. Les agents Bradefer et Filedoux nous invitent à nous garer sur l'accotement. « Vous venez de dépasser sur une ligne double, dit le bouvier. — Y a pas de ligne double par ici ! a répondu Martin. — Excès de vitesse, en plus », ajoute l'agent. « Ses papiers sont pas en règle », dit l'autre.

« Comment ça, pas en règle ? »

« Votre permis mentionne des yeux bleus !

— Et alors ?

— Ils sont gris, vos yeux ! Tout ce qu'il y a de plus gris.

— J'ai vieilli, a dit Martin. Je vieillis à vue d'œil depuis que cette affaire a commencé.

— Une affaire ? T'as-tu entendu parler d'une affaire, toi ? » demande le bouvier à son compagnon.

Et l'autre lui répond que non, et nous avons vu passer Fernand Petitête dans sa Ford Tempo 87. J'ai cru un moment qu'il adressait un signe d'intelligence aux agents Bradefer et Filedoux, mais c'est certainement une erreur ! Un signe d'intelligence, Fernand Petitetête ?

Des arbres nus. Rameaux desséchés, bourgeons fermés comme des poings. Se peut-il qu'on soit vraiment un 12 avril? Même le fleuve ne nous sera d'aucun secours. Sourd et aveugle, le fleuve! Lourd, compact. À peine témoin.

L'asphalte troué. Le cri perçant des mouettes. Des papiers compromettants. Au Palais de Justice, personne pour nous accueillir. Nous avons erré pendant des heures à la recherche d'une salle d'audience. Nous en avons trouvé une qui nous aurait bien convenu, mais ce n'était pas la bonne. Le juge présent n'était pas le nôtre. C'était le juge d'une autre cause. «Dommage, il m'aurait plu, celui-là!» ai-je dit à Martin, et nous avons poursuivi nos recherches afin de trouver le juge dévolu à notre cause. «Un jeudi 12 avril, il y a peu de chance que vous en trouviez un qui soit un tant soit peu intelligent», avait dit l'avocat. «Savez-vous ce que c'est qu'un deux de pique?» avait-il ajouté. Voilà ce à quoi je songeais en déambulant dans les corridors poussiéreux du Palais des Chicanes, non sans détailler la grande misère affalée sur les sièges, un père avec son fils, un fils sans père, des hommes, des femmes, les traits tirés, le teint cireux dans leurs coupe-vent marine avec des bandes rouges, sans compter les huissiers spécialement affectés aux juges et qui les suivaient à distance respectueuse. «Monsieur le juge», disaient-ils en ouvrant solennellement les portes, et on entendait des bruits de pas et de chaises, des grincements, des toussotements. «Le Palais de Barbe-Bleue», me dis-je.

«Ah, vous voilà enfin», a dit l'avocat.

Il avait revêtu sa grande robe. Ça ne lui allait pas mal! L'espace d'un instant, j'ai pensé à Dina, une amie à nous qui n'aime que les hommes en uniforme. Je me suis demandé quel effet l'avocat aurait eu sur elle en ce jeudi 12 avril. Il m'a semblé passablement énervé, à moi! Une conversation privée avec le juge n'avait pas donné les résultats escomptés. «J'suis tanné de me faire écœurer par tout le monde!» a-t-il lancé. Un cri du cœur.

« Ne sommes-nous pas parfaitement clean? lui ai-je demandé.

— N'êtes-vous pas parfaitement prêt? a renchéri Martin.

— Non, nous ne sommes pas prêts», a avoué le $her maître.

Mais... Mais... Ne nous avait-il pas assuré du contraire? Rappelez-vous: « J'la plaiderais demain, cette cause, s'il le fallait», nous avait-il dit, il y a six mois de cela.

Fanfaron, va!

Et Maître Gazaille nous a fait entrer dans une pièce grande comme un mouchoir de poche avec une table, des chaises, un cendrier, une patère, un calendrier 96 et une armoire fermée à clef. «Notre chez-nous pour la durée du procès», a-t-il expliqué. Il a ramassé ses dossiers et nous a entraînés dans notre salle d'audience à nous, une salle d'audience qui ne donnait pas sur le fleuve, mais sur une ruelle mal entretenue, une sorte de résidu en son genre, d'ailleurs à quoi nous aurait-il servi, le fleuve? Tout bien intentionné qu'il soit, il n'aurait pu empêcher cette espèce de terreur qui s'est emparée de moi lorsque j'ai aperçu notre juge. Tout autre que moi se lancerait dans une description détaillée du personnage: sa démarche, l'expression de son visage, à la fois futée et anxieuse; je ne puis cependant me résoudre à insérer ne fut-ce qu'une ligne à ce sujet. Ça ne paraît peut-être pas, mais je suis plutôt du genre petite fleur! Les poèmes qui dévalent les collines, les bataillons de nuages qui s'avancent en rangs serrés, le théâtre, la musique en feuilles, le fleuve et ses dépendances, voilà qui est mon genre! Mais ce juge, ce juge, alors là, vraiment...)

Comme il fallait s'y attendre, la compagnie était déjà installée dans la salle d'audience par le biais d'un de ses représentants, Le P'tit Fouinard, pas majoritaire pour deux sous, a-t-il dit quand il a été appelé à LaBarre et qu'il a commencé son faux témoignage en affirmant qu'ils avaient toujours su que nous n'avions pas de droit de passage.

«Il ment, ai-je chuchoté à l'oreille de l'avocat.

— Mais il est sous serment! a riposté ce dernier, incrédule.

— Ça vous donne une idée de ce dont il est capable! Il nous a dit tout le contraire!»

Je m'en souvenais comme si c'était la veille. En entrant dans la salle à manger, le P'tit Fouinard, désignant la fenêtre qui donnait sur la clôture délabrée du voisin, y était allé d'un commentaire à la fois stupide et malveillant, quelque chose comme: «Vous l'avez toujours sous les yeux!» Nous ne nous étions pas donné la peine de répondre et il avait entrepris de nous expliquer, à grands renforts de gestes et d'indignation — feinte, cela va de soi — les très excellentes raisons qui les poussaient tous les trois à ne pas reconnaître cette servitude de passage dûment indiquée sur le certificat de localisation et l'acte d'achat, sauf que sur ce dernier, la notairesse avait ajouté un *s'il y a lieu*. «Mais il y a lieu, avait dit l'avocat. Cessez donc de vous en faire!»

Cessez donc de vous en faire, mais l'autre avait déjà commencé à mentir, et le juge ne semblait pas très au fait! Partie prenante? Non prenante? Je proteste, Votre Honneur! Ça fusait de toutes parts. J'en ai presque attrapé le torticolis à essayer de suivre leurs ébats. Sans compter mon cœur qui battait à tout rompre, et Martin, derrière moi, qui se décomposait à vue d'œil...

«Comment tu me trouves?» a demandé l'avocat après qu'il eut réussi à mettre le P'tit Fouinard en boîte, l'obligeant à aller chercher du renfort, une majorité comme on dit, une majorité prenante. C'est à ce moment-là que le juge a suspendu l'audience pour aller consulter son *code bar*. Il tenait absolument à être conforme! Il faut le comprendre : l'affaire n'était pas simple, et puis «il y a ceux qui nous écouteront peut-être, un jour», a-t-il dit, une allusion à je ne sais quoi qui m'a mise dans tous mes états. *Big Brother*, ai-je pensé.

L'audition venait à peine de reprendre que le juge devait à nouveau ajourner à cause de notre avocat qu'un autre juge sommait de comparaître, un étage plus bas.

«Et de un, a dit Maître Gazaille lorsqu'il fut de retour, une demi-heure plus tard.

—Quoi? Et de un? a demandé Martin, agacé.

— Un procès de gagné!» a expliqué l'avocat.

La fierté se lisait sur son visage.

Ça m'a rappelé madame Pimparé. Quand Martin allait acheter son permis de pêche, au bureau de la réserve faunique, madame Pimparé l'accueillait généralement en ces termes :

«On en a déjà un, ce matin, monsieur Martin!

— Que m'importe ce que vous avez déjà, ripostait Martin. C'est le saumon que je vais prendre qui m'intéresse...»

«Que m'importe ce procès déjà gagné, c'est le mien qui m'intéresse, ai-je dit à l'avocat.

— Je n'aime pas ton attitude», a répondu celui-ci, offusqué, et nous sommes retournés dans la salle d'audience où le juge nous a appris qu'à la lecture de ses livres, il en était arrivé à la conclusion que la compagnie à numéros n'était pas partie prenante, mais qu'elle pouvait néanmoins rester dans la salle au cas où. Au cas où, s'il y a lieu, ils n'avaient que ces mots à la bouche, ces gens!

D'ajournement en ajournement, les cloches de la cathédrale ont sonné midi. «Allons nous sustenter», a dit le juge. «Veuillez vous lever, monsieur le juge s'en va se sustenter», a annoncé l'huissier. «Il y a de la dinde au menu», ajouta-t-il à l'intention du juge.

Maître Gazaille a mis ses lunettes de soleil, il a sorti sa Chrysler décapotable de son étui et nous a entraînés au restaurant Saint-Éloi situé sur la rue Principale. Martin et moi n'avions jamais vu d'avocat dans l'exercice de ses fonctions. Chrysler blanche, lunettes de soleil, téléphone cellulaire, nous en avions plein la vue! « Pour un baptême, c'en est tout un, a fait remarquer Martin. Crois-tu qu'il ait des accointances avec la pègre? »

L'avocat de la partie adverse ayant également entraîné ses complices au restaurant Saint-Éloi situé sur la rue Principale, nous nous sommes tous retrouvés dans la même file d'attente, mais notre avocat étant le plus connu — « le meilleur en ville », à ce qu'il raconte —, la gérante nous a dirigés dans une petite salle à part où nous serions plus à notre aise, « à l'abri des regards indiscrets », a-t-elle dit d'un air entendu. «Comment tu me trouves?» a demandé l'avocat, et nous avons commandé des poitrines de poulet que le géomètre et l'avocat ont mangées avec appétit en discutant de causes et d'autres, de juges, véreux ou pas, ainsi que de ce procès perdu par l'avocat au début de sa carrière. «Qui me dit que le juge n'était pas de mèche avec la partie adverse?» s'interrogeait-il. Et le géomètre a renchéri pendant que Martin et moi picorions çà et là dans nos assiettes respectives. «Je compte prendre bientôt ma retraite, poursuivit l'avocat. J'écrirai. J'écrirai des livres. Sur la justice, a-t-il précisé. — L'absence de justice», a rectifié le géomètre. «Avez-vous vu ma photo dans *La feuille de chou*?» s'enquit l'avocat en nettoyant ses lunettes, l'air modeste. «Une cause de viol. Comment tu m'as trouvé?» a-t-il demandé au géomètre qui, effectivement, avait vu la photo. «Tu n'aurais pas été fière de moi, mais j'ai gagné», précise-t-il à mon intention, une remarque probablement liée à ma condition féminine, au fait que je sois femme et par conséquent solidaire des groupes de défense des victimes de viol. J'en ai déduit qu'il avait fabriqué des preuves, soudoyé les témoins ; la victime peut-être...

Le repas terminé, nous sommes retournés au Palais des Soupirs. Un juge faisait du porte à porte, accusés et victimes se relayaient d'une salle à l'autre pendant que leurs proches les attendaient patiemment, assis sur des sièges bancals. « Sièges bancals, justice bancroche », a dit Martin. Nous étions à peine arrivés que nous avons dû repartir, le juge ayant décidé d'emmener toute La Cour sur les lieux du crime. Il voulait voir de ses propres yeux : la neige, les clôtures, l'asphalte, tout. Il trouvait important de se plonger dans l'atmosphère du conflit. « Il n'y a pas que les faits », expliquait-il à l'huissier qui le suivait à distance respectueuse. « Il doit faire partie de l'école réaliste », ai-je commenté à l'intention de Martin.

« Le lieu du crime, c'est chez nous, ça ? a demandé Fernand Petitête.

— Chut ! » a dit son avocat.

Quand nous sommes arrivés... Seigneur, j'aurais voulu que vous les voyez tous : Fernand, sa femme, LePoète, le P'tit Fouinard, Maître Vandal dit Gamique, et leur géomètre à tous, ah Seigneur, comment dire ? Ils étaient là, à montrer du doigt le petit chemin, neige soufflée, neige tombée, et quand le juge est arrivé, ils se sont précipités sur lui, sans préjudice. « Rue des Vendus d'abord, ensuite la rue de la Noix », ont-ils dit, mais le verdict est tombé comme une balle : « Neige soufflée », a dit le juge, et nous avons repris espoir ; la vieille dame avec un beau col de dentelle a poussé un

[ 127 ]

grand cri et tous les autres pensionnaires, qui avaient interrompu leur sieste pour venir admirer le juge dans l'exercice de ses fonctions, y sont allés d'une main d'applaudissements, et le juge ne se tenait plus de joie comme le corbeau. Enchanté d'intervenir devant un public aussi nombreux et aussi bien disposé en sa faveur, il s'est lancé dans une diatribe à n'en plus finir: quelle était l'adresse civique de la maison? À qui appartenait-elle autrefois, à qui, hein?

L'avocat ayant donné sa langue au chat, c'est Martin qui l'a mis au fait. «Elle appartenait à l'ancien maire», a-t-il dit.

Il a fait ça comme un as, Martin! J'en ai été très impressionnée. Le juge aussi d'ailleurs. «Attention, a-t-il dit à l'intention de nos voisins, attention, Monsieur le Maire s'est sûrement prévalu de droits inattaquables! Et cette autre propriété, enchaîna-t-il en montrant la maison de Françoise Fougère, ne subit-elle pas également quelque préjudice? — Ou-ouh!» ont impoliment riposté le P'tit Fouinard et Maître Vandal dit Gamique ainsi que leur pervers géomètre (B.Sc. A. A. G.). Quant à Fernand Petitête, il a fait semblant de ne rien entendre, mais ne vous laissez surtout pas abuser. Question servitudes, il sait très bien de quoi il retourne, Fernand Petitête! N'a-t-il pas reconnu en avoir pris connaissance? Ne s'est-il pas engagé à les respecter sans en demander plus amples descriptions, tel qu'il appert sur l'acte d'achat dudit chemin inscrit au dossier sous la cote 4?

Au moment de nous séparer, l'avocat est venu sur le point de demander si nous l'avions trouvé bon, excellent ou autre chose de ce genre — à vrai dire, la question lui brûlait les lèvres — mais il s'est abstenu. N'avait-il pas donné sa langue au chat? Neige soufflée, neige tombée, Martin avait dû prendre les choses en mains. Lorsque le juge s'était interrogé sur l'existence d'une servitude de passage affiliée à la propriété du bouquet de fougères, il en avait rougi, l'avocat! À sa place, je me serais enfouie dix pieds sous terre. N'avait-il pas ce dossier entre les mains depuis plusieurs mois? N'aurait-il pas dû en faire une partie prenante à son tour?

«Le juge nous aurait fait un bien meilleur avocat», a dit Martin.

Le temps de le dire, et ce deux de pique avait trouvé plein d'arguments plaidant d'eux-mêmes en notre faveur, rien que dans la configuration des lieux*.

* Imaginez s'il s'était donné la peine de lire les pièces...

QUESTIONS

1. Quel est le taux d'intérêt préconisé par Le Bâton en ce qui concerne les honoraires professionnels des avocats? Qu'est-ce qui justifie ce taux, à votre avis? Résumez l'opinion de Thomas Bernhard à ce sujet. (Qui est Thomas Bernhard?)

2. Pour quelle raison le juge LeSévère s'est-il désisté?

3. Qu'est-ce qui fait rire l'avocat? (Faire un x dans la case appropriée.)
   ☐ La vue de son compte en banque
   ☐ L'arrivée dans le dossier de Maître Vandal dit Gamique?

4. Expliquez le mot «mésalliance». A-t-il sa raison d'être dans ce contexte?

5. Qui a dit: «Les victimes d'injustice ne portent pas toujours pancartes»?

6. Qu'est-ce qu'un résidu? Qu'entend-t-on par «l'intention du propriétaire? Quelles réflexions le métier d'arpenteur vous inspire-t-il?

7. Un avocat a-t-il une âme? Si oui, qu'en est-il des notaires?

8. Vous êtes-vous fait votre petite idée en ce qui concerne la fin de ce conflit?

Je rêvai cette nuit-là d'un grand parc d'attractions avec des personnages en carton, grandeur nature, comme on en voyait autrefois à la porte des cinémas. C'est Martin lui-même qui les avait peints. La notaire avait les cheveux noirs de Monica Lewinski et elle embrassait la compagnie. Les avocats devaient montrer patte blanche avant d'entrer. On les invitait à vider leurs poches. Ça prenait un temps fou! « Tout ça, c'était pour rire », expliquait Fernand Petitête, et le juge se léchait les doigts en mangeant son poulet frit, une dizaine de goélands attendant respectueusement à distance, comme des huissiers. « Je ne leur voulais aucun mal, à ces gens », répétait le P'tit Fouinard, mais personne ne voulait le croire, et sa voix avait des ratés inimaginables, LePoète s'en tapait les cuisses! De mon côté, je venais de découvrir la touche *Repeat* sur ma chaîne stéréo et Placido Domingo n'arrêtait pas de chanter *Rachel quand du Seigneur*; c'était si beau que les vieux ont entonné l'hymne des cieux, et la vieille dame avec un beau col de dentelle s'est mise à arroser des fleurs fictives; c'est là que l'alarme s'est déclenchée sur la voiture de monsieur LeRiche, mais tout le monde a pris la chose en riant pour une fois, même monsieur Charlebois qui n'aime pas les chiens et qui s'est mis à flatter les nôtres tout à coup, et flatte, et flatte, les chiens ne voulaient plus rien savoir. Le ciel était d'un bleu presque marine, les arbres balançaient mollement leurs têtes, les vêtements dansaient sur les cordes, et quand le représentant de La Municipalité s'est présenté avec le gars de la Voirie, ils se sont heurtés à la volonté populaire. «Pas question d'asphalter la cour», ont dit les vieux, qui m'ont semblé en bien meilleure santé qu'auparavant et je connais au moins un croque-mort qui aurait fait faillite s'il n'avait été racheté à temps par les Américains.

Oh, quelle nuit! Martin, lui, n'a pas réussi à fermer l'œil et lorsque nous sommes arrivés au Palais des Voisins pour une deuxième journée d'inaudition, il était dans une telle colère qu'il a abandonné la voiture au beau milieu du stationnement pour courir jusqu'à la grande porte, qu'il a franchie d'un bond, au grand désarroi du portier, et il s'est mis à grimper les étages quatre à quatre, et lorsqu'il s'est présenté dans notre mouchoir de poche, il a saisi l'avocat à la toge et il a dit: «Pas question d'accepter quoi que ce soit. Il faut que ce procès ait lieu! Ces gens-là n'avaient pas le droit de troubler notre quiétude», et il était si beau, comme ça, avec son grand œil courroucé, que l'avocat s'en est trouvé tout revigoré, et c'est d'un pas alerte qu'il s'en est allé retrouver le juge et son complice pour un entretien en vase clos qui n'a rien donné, car cinq minutes plus tard, il était de retour. «Malbrough s'en va en guerre», a-t-il lancé d'un ton résolu, et nous sommes entrés dans la salle d'audience où nous attendaient le voisin avec son avocat ainsi que leur pervers géomètre, sans compter les représentants de la compagnie, parfaitement majoritaires cette fois, pensez: des Employés de L'État en congé payé avec bénéfices marginaux, retraite anticipée, frais de déplacement, soins médicaux, hospitaliers et alternatifs. LePoète avait fière allure avec son blouson de cuir et son air superbement ennuyé. À quoi donc était-il ainsi mêlé, contre son gré? pensait-il. Lui qui aimait tellement la poési-i-ie...

« Qu'est-ce qu'il a à jouer l'offusqué, LePoète? ai-je dit à Martin. N'est-il pas le plus compétent, le plus expérimenté de tous? »

Le fait est qu'il n'en était pas à sa première comparution, LePoète! Il avait même été condamné déjà. Port de marijuana, culture illicite, que sais-je encore! Le juge ne sera pas content de voir qu'il y a récidive, me suis-je dit. À mon avis, il risquait gros, LePoète, en se présentant ainsi devant La Cour, en plein printemps, un vendredi 13, en plus! Voilà pourquoi il affichait un air si superbement ennuyé.

«Monsieur le juge», annonça l'huissier.

Nous avons dû nous lever. Moi, je ne voulais pas, c'est comme pendant le *Ô Canada*, mais l'avocat m'a fait remarquer que le juge le prendrait comme une provocation et que...

Tout autre que moi insérerait ici une brève description du juge, ne serait-ce que sa démarche ou ses petits souliers vernis, son complet rayé, et cette expression à la fois futée et anxieuse qui le caractérise. En ce qui me concerne, je préfère m'abstenir. Quand tout sera terminé, peut-être. «Fini d'écrire à ... le ...», écrirai-je, et je tournerai la page.

Ce qui est bien quand on est écrivain, c'est qu'il y a toujours des pages à tourner et qu'on peut toujours recommencer, et faire mieux la prochaine fois.

Il avait raison d'afficher un air si superbement ennuyé, LePoète! Les débuts d'un procès sont passablement ennuyeux. Questions de fait, questions de droit, je n'ai pu réprimer un bâillement. Martin s'est carrément endormi; il dormirait encore si l'avocat ne l'avait appelé à LaBarre.

«Monsieur LeBeau!» a dit l'avocat.

Et là, Maître Gazaille a marqué un temps d'arrêt. «Effet de scène», me suis-je dit. Ce n'était pas inintéressant. Fernand Petitête s'agitait sur sa chaise, un sentiment d'inquiétude s'empara des troupes adverses.

« Monsieur LeBeau, poursuivit l'avocat, quel chemin utilisez-vous pour accéder à votre domicile?»

«Tout le monde sait ça», ai-je pensé. À mon avis, l'avocat prenait une bien mauvaise piste; il allait s'enfarger dans les fleurs du tapis. Heureusement, Martin a répondu sans hésiter, mais le juge a mis un peu de temps à comprendre; il a fallu lui montrer le plan, et Martin a dû apposer ses initiales sur le chemin que nous prenions pour accéder à notre domicile. Ceci fait, l'interrogatoire s'est poursuivi.

«Pour le bénéfice de La Cour, monsieur LeBeau, pourriez-vous nous situer cette clôture illégale érigée par le défenseur?»

— Objection, votre Honneur! L'accusation présume de l'illégalité de la clôture», a riposté Maître Vandal, et il s'est retourné pour faire un clin d'œil à

Fernand Petitête, qui lui a rendu la monnaie de sa pièce, ça n'en finissait plus, les œillades, et Maître Gazaille en a été quitte pour reformuler sa question. Une fois de plus, Martin s'en est tiré comme un pro, mais le juge a dû à nouveau démissionner de son poste pour venir consulter le plan ; il a demandé à Martin d'inscrire ses initiales, en rouge, cette fois, «à l'endroit précis où votre voisin a érigé sa clôture illégale, a dit le juge. — Objection », s'est écrié Maître Vandal, mais le juge l'a invité à la retirer, son objection, et la greffière est allée acheter un stylo rouge. Lorsqu'elle est revenue, le juge a suggéré que le voisin vienne aussi initialiser ses œuvres, «ses basses œuvres, a précisé Martin. — Objection », a dit Maître Gamique, mais personne ne s'occupait de lui et il m'a paru fatigué tout à coup.

«Était-ce la première fois que votre voisin installait une clôture sur ce chemin ? » enchaîna l'avocat.

Ce n'était pas la première fois.

«La première fois, c'était à cet endroit précis, monsieur le juge, a dit Martin, et il ne s'agissait pas d'une clôture, mais d'un muret avec des drapeaux, des pancartes, des oriflammes. Votre Honneur a sûrement en sa possession les photographies compromettantes. J'aimerais d'ailleurs mentionner à Votre Attention ce qu'il y a d'infâmant à découvrir soudain sur son chemin un muret et des pancartes *Défense de passer Par ordre* alors que nous avons tout à fait le droit de passer par là et que... »

Maître Gamique est venu sur le point de s'objecter, mais le juge lui a signifié de se taire. « Votre tour viendra », a-t-il dit d'une voix pleine de promesses.

Un frisson d'inquiétude a parcouru les troupes non adverses, mais le juge a continué comme si de rien n'était. Vous auriez dû le voir se pencher au-dessus du plan, il faisait vraiment des efforts! «Un visuel, ce juge, un réaliste visuel», me suis-je dit, et Martin a dû apposer ses initiales, «en vert», a dit le juge, et la greffière est sortie pour aller chercher un stylo vert, elle commençait à en avoir assez, a-t-elle marmonné entre ses dents. «Pas daltonien, en tout cas», ai-je pensé pendant que le juge fouillait dans la boîte contenant les pièces à conviction; il comptait y trouver la photo du muret, mais elle n'y était pas.

«Comment est-ce possible, Son Honneur? ai-je dit au risque de me faire accuser d'ingérence. Elle y était, pourtant! Je me rappelle très bien cette photo; elle a été prise par la voisine d'en-avant. À moins que ce ne soit sa fille... ou sa bru! Et quand les voisins se sont aperçus que la bru avait pris une photo, ils sont allés la relancer sur son lieu de travail. La voisine vous dirait qu'ils se sont montrés si odieux que sa bru a fondu en larmes et qu'elle a perdu son emploi, le patron n'ayant pas tellement apprécié la venue intempestive du voisin et de sa femme pendant les heures de bureau. «C'est bien fait pour elle! Elle n'avait qu'à ne pas faire ces photos», a dit la femme du voisin ici présent lorsqu'elle a appris la nouvelle concernant le congédiement. La méchanceté incarnée, ces gens! C'est mon beau-frère qui me l'a dit, et il sait de quoi il parle! D'abord il est avocat, ensuite...»

«Chut!» a dit le juge.

Quant à la photo... «Ma secrétaire a oublié de la déposer», a reconnu Maître Gazaille, mais ce n'était pas grave, car il pouvait en tout temps la sortir de sa poche et la brandir sous les yeux ahuris du voisin de manière à l'intimider davantage. «Heureux oubli que cet oubli de ma secrétaire», conclut Maître Gazaille, qui nous a longuement expliqué comment un senior comme lui savait tirer profit de ce genre d'incident, y trouvant même un certain stimulus, les débuts d'un procès étant généralement fort ennuyeux, au point qu'on voit parfois des avocats s'endormir à LaBarre, et leurs clients sont condamnés sans plus de façon.

Debout, sans photo pour accompagner ses dires, Martin s'est senti horriblement fatigué, et le juge a cru bon d'ajourner. Un emphatique, ce juge, ai-je pensé. À moins qu'il n'ait eu comme une petite faim... «Lasagne au menu», a chuchoté le greffier.

«Ça s'écrit comment ajourner?» a demandé la secrétaire.

L'avocat m'a refilé la question.

«Est ce que je sais, moi! Les écrivains ont toujours des réviseurs, en particulier quand il leur arrive des épreuves comme c'est le cas pour nous maintenant. Pourquoi ne pas demander à Baudelaire? N'est-il pas en congé payé?»

Naturellement, personne n'a demandé à Fernand Petitête comment ça s'écrivait ajourner; nous nous apprêtions à quitter la salle lorsque le juge s'est ravisé. Il venait d'avoir une idée. Utiliser l'heure du lunch pour un rapprochement Est-Ouest. Le géomètre de l'un discuterait avec le géomètre des autres, les demandeurs avec les défenseurs. Évidemment, il n'a pas demandé aux avocats de s'entendre, ces gens-là s'entendant généralement fort bien entre eux, surtout lorsqu'il s'agit de gonfler les factures et de mutiplier les procédures à cet effet, «des insignifiances, parfois», disait notre avocat à propos de l'avocat adverse. «Normal? ai-je demandé à Catherine. — Nous sommes formés pour ça», m'a-t-elle assuré.

Je n'ai pas osé m'insurger quand Son Honneur nous a fait cette étonnante proposition. «Chut!» m'avait dit Son Honneur quelques instants plus tôt, allant même jusqu'à m'interdire de souffler les réponses à Martin alors que le pauvre n'avait pas dormi de la nuit et qu'il était si fatigué. Je n'ai pas osé m'insurger, mais sitôt la séance terminée, j'ai informé Maître Gazaille qu'il n'était pas question pour nous d'aller discuter avec nos voisins. «Trop à l'ouest, il y a l'est», ai-je dit à l'avocat. Ils avaient eu amplement le temps de venir se concerter avec nous, nos voisins! Nos portes leurs étaient restées grandes ouvertes. «C'est toujours *open house* chez vous», disait ma copine Odette, il n'y a pas si longtemps. *Open house* tant que vous voulez, plus personne ne vient nous visiter. Normal! Les gens ne savent plus par où passer. «Qu'est-ce que vous faites là?» s'enquiert le fils Petitête à ceux qui osent s'aventurer sur le petit chemin. J'ai beau leur dire qu'ils sont nos ayants droit et qu'à ce titre, ils sont parfaitement justifiés de passer et repasser comme bon leur semble, rares sont ceux qui s'y risquent encore. Ceux qui le font nous arrivent par la porte d'en arrière, laquelle donne sur la cuisine. Rien de surprenant à ce que je brûle la soupe! Je suis écrivain, pas cuisinière!

«Pas question de discuter», a dit l'avocat à la partie adverse qui nous attendait dans le couloir.

C'est à ce moment-là que Fernand Petitête s'est approché de Martin, la main tendue, l'air piteux. «Je n'ai jamais voulu vous bloquer le chemin, monsieur LeBeau!» Un peu plus, il se mettait à pleurer! Martin allait lui dire son fait, mais l'autre s'est détourné pour voir si le juge avait eu vent de son geste, un si beau geste de repentir ne manquerait pas de lui attirer la clémence de La Cour, pensait-il.

Le juge n'avait rien vu.

«Tout va bien, ne vous inquiétez pas», a dit l'avocat lorsque nous l'avons rejoint à la cafétéria. Il avait gardé ses verres fumés et mangeait avec appétit. Je l'étais tellement, inquiète, que j'ai failli lui demander d'acheter des témoins, de soudoyer le juge, les huissiers, la greffière, les goélands... Rue du Clos de Paille, un individu à la mine patibulaire passait le plus clair de son temps à se bercer sur son balcon. J'étais prête à parier qu'il accepterait de lui régler son compte, au voisin, à la condition naturellement qu'on y mette le prix et qu'en vertu de ses accointances avec la pègre, l'avocat lui assure l'impunité la plus totale.

«On ne va quand même pas se mettre à assassiner les gens», ai-je pensé à voix haute.

L'avocat m'a regardé avec un drôle d'air.

«Nous sommes de braves gens, honnêtes, respectueux», ai-je ajouté.

C'est ce qu'expliquait Frédéric, l'autre jour, dans une lettre destinée à un éventuel employeur. «Je suis honnête et respectueux», écrivait-il.

Honnête? Respectueux?

Le pauvre petit va se faire bouffer tout cru!

Le Palais des Conciliabules! En revenant de la cafétéria, nous sommes tombés sur le P'tit Fouinard qui ne savait plus où aller pour peaufiner ses combines et magouilles. J'allais lui désigner la porte donnant sur une cage d'ascenseur vide lorsque quelqu'un l'a entraîné dans une petite pièce attenante à la nôtre. Au même moment, nous étions refoulés dans notre mouchoir de poche à nous, et l'avocat est entré, tel un sauveur, un grand sourire accroché au bas du visage.

«Regardez-moi!» lança-t-il fièrement à la ronde.

Les rideaux s'agitaient aux fenêtres, une main d'applaudissements, ai-je pensé.

«Quoi, qu'est-ce qu'il y a? a demandé Martin qui commençait à en avoir assez de cet avocat, «avocat de malheur», a-t-il dit.

— Mais... Vous ne voyez donc pas? reprit ce dernier.

— Qu'est-ce que nous ne voyons pas?

— Mon sourire!

— Qu'est-ce qu'il a, votre sourire? Vous êtes content, vous avez bien dormi, la soupe était bonne?

— Croyez-vous que je sourirais comme ça si je n'avais d'excellentes nouvelles pour vous?»

Nous avons dû le supplier pour qu'il accepte de parler. Le juge avait été passablement remué par le témoignage de Martin, qu'il trouvait «éminemment crédible», au point d'affirmer qu'il accorderait sûrement les dommages demandés et que la partie adverse devrait s'efforcer de conclure une entente sans quoi...

«De mon côté, a renchéri notre géomètre, lequel avait passé l'heure du lunch en compagnie de son homologue — il s'y était passablement ennuyé —, je suis heureux de vous dire que vos voisins sont prêts à faire des concessions. «La terre est ronde», ont-ils fini par avouer.

«En conséquence, conclut l'avocat, j'ai informé Maître Vandal que vous acceptiez de rencontrer ses clients afin qu'ils puissent vous transmettre leurs propositions.»

«Qui dort dîne», a dit Maître Vandale en apprenant la nouvelle.

Entraperçu la fille Petitête qui entourait de ses bras son bon vieux papa au cheveux gris dont la mine contrite aurait attiré la compassion de n'importe qui. «Pauvre petit papa! Ils te donnent bien du mal, ces gens!»

J'en ai été toute retournée.

La douleur embellit l'écrevisse, dit un proverbe russe.

Nos voisins se pressaient à la porte. «Entrez, entrez, prenez place», a dit l'avocat qui nous a confié qu'il ne détestait pas jouer les maîtres de cérémonie, à l'occasion. Fernand Petitête s'est glissé le long du mur, LePoète s'est installé près de la fenêtre d'où il pourrait répandre ses jérémiades sur toute la ville. Il jérémiait de belle façon, LePoète! À quoi donc était-il mêlé ainsi contre son gré, lui qui aimait tant la poésie, au point d'en faire lui-même, oh, bien modestement, des petits riens, des trucs à propos de B... «B... a fait ceci, B... a fait cela...» «Jamais je n'accepterais d'être l'initiale dans un livre mal écrit», ai-je chuchoté à l'oreille de Martin, et le P'tit Fouinard est entré en pétaradant comme une voiture de seconde main. Quant à leur complice, Ni-vu-ni-connu, il n'a pas jugé bon de se présenter, mais il n'en avait pas moins donné son aval. Ponce Pilate, va! S'il croyait s'attirer nos faveurs en jouant l'absent de taille, il se mettait le doigt dans l'œil! Nous voyions tout à fait clair dans son jeu. Il ne nous aurait pas à la une.

Je chassai tout cela de mon esprit, m'efforçant de penser à la douceur d'un matin d'été, à l'odeur des feuilles en automne, aux enfants qui grandissaient à vue d'œil; l'aîné jouait de la batterie dans un groupe rock, le cadet écrivait des scénarios de films d'action (bing, bang, boum). Dans l'antichambre, nos témoins, abandonnés là depuis la veille, se mouraient d'inanition. «Les gens racontent que je refuse de m'occuper de mon mari», répétait l'auteure de Fernand Petitête à Françoise Fougère qui somnolait sur son siège. Je fermai les yeux, espérant vaguement qu'au moment de les ouvrir, le P'tit Fouinard aurait disparu de la circulation, mais ça ne s'est pas produit, les choses ne se produisent jamais comme on aimerait. Non seulement le P'tit Fouinard est-il resté là, mais il s'est mis à argumenter : et je te dis ceci, et je te dis ça. Il argumentait de belle façon, le P'tit Fouinard ! Je ne me rappelais pas qu'il eut cette voix de fausset, une voix de crécelle, avec des ratés et des pics, lesquels atteignaient parfois des hauteurs insoupçonnées, la voix de la discorde, de la zizanie, sans compter les gestes (mouvements de bras, roulements d'épaules), seigneur, les gestes, mal faits, tordus, bizarres, compliqués à l'extrême, et voilà que LePoète y allait à son tour de ses meilleures strophes, des alexandrins, ma foi. «Si y a plus moyen d'faire des affaires, maintenant !» Une diva, me dis-je, une diva affalée sur son siège, étouffée par la honte, le remords, la culpabilité.

«Si vous croyez que c'est drôle, la culpabilité !»

Pauvre Baudelaire ! Il avait raison : ça ne devait pas être drôle tous les jours ! À sa place, je n'aurais guère tardé à concéder le tout pour le tout.

«Vous monopolisez le stationnement», se lamentait Le P'tit Fouinard.

— Voyons Fouinard, ce n'est pas vraiment important, le stationnement, intervint LePoète.

— Comment, pas important ? Ils nous empoisonnent l'existence...

— Voyons Fouinard, ce n'est pas vraiment important, l'existence, le stationnement!»

Une diva... Une diva superbement ennuyée.

Cela dura longtemps, et plus encore. Petitête était comme un mur, le P'tit Fouinard crachait son venin. «Aux faits, Fouinard, aux faits», psalmodiait LePoète, et Martin était malheureux. *La Traviata.* Acte deux, scène deux. Violetta vient de quitter Alfredo, elle accompagne le baron (Douphol) à la fête. Gitanes et danseurs s'en donnent à cœur joie. «Malheureux en amour, chanceux au jeu», lance Alfredo en s'installant à la table. «Bravo, bravo!» reprend le chœur.

L'intensité dramatique de *La Traviata.*

Mais le voisin est comme un mur, et LePoète se répand en lamentations — les cordes dans *La Traviata,* acte deux, scène deux — à tel point que nous finirons par céder et tout concéder, l'œuf, la poule, le beurre, l'argent du beurre, et les portes s'ouvriront pour laisser entrer l'avocat (Douphol) qui ne provoquera pas le voisin en duel, et Germont ne viendra pas rétablir les faits, c'est à peine si le fleuve consentira à lécher nos plaies. «Nous vous avons eu à l'usure», dit le juge à Maître Gazaille.

Oh, mais attendez, là, il y a erreur, la prise est mauvaise! Ce n'est pas lui que vous avez eu à l'usure, Votre Seigneurie, c'est nous! «Nous, les petits, les obscurs, les sans-grades, nous qui marchions fourbus, blessés, crottés, malades, nous qui marchions toujours et jamais n'avancions!»

«N'est-ce pas plus gentil quand tout le monde s'entend? poursuit le juge. J'ai toujours eu à cœur la conciliation entre les différentes parties, c'est un peu comme ma marque de commerce, ma signature si vous voulez », explique-t-il à l'huissier qui se prépare à ouvrir toutes grandes les portes vu que c'est vendredi, qu'il se fait tard et que tout ce beau monde a hâte de rentrer chez lui. « l'annoncent du soleil en fin de semaine » dit la greffière, le manteau sur le dos, pendant que Maître Gazaille, qui vient tout juste de se réveiller (hein ? quoi ? fini ? où ça ?), fait mine de s'indigner, le sursaut d'indignation que donne à tout homme juste le spectacle d'une scandaleuse injustice, ai-je pensé, paraphrasant Péguy, mais je me trompais, je me trompais grandement, Maître Gazaille ayant surtout en vue ses honoraires qu'il devrait réduire en conséquence si l'affaire tournait en queue de poisson, ce qui était en train de se produire.

Devant nous, abjects mélanges de chair, d'eau, de désirs et de sang, le juge et Le P'tit Fouinard se congratulent mutuellement. « Je tiens à remercier les numéros », dit le juge. « Les numéros vous remercient également, monsieur le juge ; sans votre apport... »

Sans son apport, Le P'tit Fouinard et Compagnie n'auraient pas empoché la somme rondelette de 50 000 $, sans compter la victoire et tout ce qui s'ensuit. À eux la richesse, à nous le résidu, les banques alimentaires, la reconstruction de Berlin !

L'avocat s'est enfui sans demander son reste. La rumeur veut qu'il coure toujours et que sa secrétaire coure aussi derrière lui en prenant des notes pour un éventuel roman : *Un homme se penche sur son passé*. Le sujet n'est déjà pas très original, mais quand on sait que cet homme est avocat...

Le soir même, et avec l'assentiment de La Cour, «de la basse-cour», dirait Monsieur de Chartrand, Fernand Petitête stationnait sa voiture sur le petit chemin. Le lendemain, j'avisai Françoise Fougère qu'une entente était intervenue, entente dont elle faisait également les frais.

« Êtes-vous en train de me dire que je n'aurai plus accès à mon garage?

— Ce n'est pas notre faute, Martin n'avait pas fermé l'œil de la nuit! Nous n'étions pas si tôt entrés dans la salle d'audience que l'autre avait déjà commencé à mentir; le juge ne voulait rien savoir, c'était un duel à finir entre lui et l'avocat, une histoire de désistement que ce dernier avait demandé sans l'obtenir dans une autre cause. Ils nous ont eu à l'usure. C'est le juge lui-même qui l'a dit!

— Vous n'aviez pas le droit! Qu'est-ce que c'est que ce juge qui vous force à signer une entente illégale? Ça n'a aucun sens!»

Elle n'en croyait pas ses oreilles.

Qu'est-ce que c'était que ce juge? Un réaliste visuel et rancunier, ai-je pensé.

Nous prenons la mesure de notre déconvenue aux réactions qu'elle suscite dans notre entourage. Un tel nous confie qu'il n'a jamais pu s'entendre avec le P'tit Fouinard. Un autre nous explique (main sur le cœur) qu'il ne le tient pas en très haute estime. «J'croyais qu'il aimait la poésie», s'indigne une dame en regardant LePoète qui va et vient dans la cour, à croire qu'il a la conscience tranquille.

Nous sommes en deuil. Un seul être nous manque et tout est dépeuplé. La défection de nos voisins est devenue celle du pays tout entier. Nous sommes isolés en territoire occupé, sans racines, sans rien ; les collines ne chantent plus, tous nos amis sont morts gelés. « Moi qui ai tellement aimé ce ciel », me dis-je, inconsolable. Et les années passées défilent à l'horizon : cette buse qui surgissait au-dessus de nos têtes lorsque nous nous promenions dans les champs, la noirceur qui enveloppait la petite maison du rang cinq, les enfants menant un train d'enfer autour de la table de cuisine, les aurores boréales, des nuits entières à écouter le renard, la fois où la tempête nous a retenus prisonniers pendant trois jours (*Vent d'Est*, avait écrit Martin à l'endos d'un petit tableau peint ces jours-là, dans l'effervescence), les champs de moutons et de chardons (*Clair de laine*, titrait Martin au bas d'un autre tableau), un rond à patiner, l'étang aux primevères, l'herbe fine, l'herbe rousse, la cime ondulante des arbres, les premiers matins du monde, des feux sur la grève, un homme trouvé mort, le comité des loisirs, des émotions municipales...

De colline en colline, nous avons refait nos bagages, rafistolé nos croyances. Pas question de nous laisser abattre. La position de l'autruche. En pire. De toute évidence, nos voisins ne sont ni très sympathiques ni très intelligents, mais ce sont sans doute les amis de quelqu'un quelque part ; peut-être même ont-ils un père et une mère qui les chérissent et pour qui ils apparaissent comme la septième merveille du monde...

« Le P'tit Fouinard, la septième merveille du monde », répète Frédéric, incrédule.

« Tout ça me semble un peu abusif, a dit Martin.

« Bien aimable », aurait dit mon père en pareille circonstance.

## EN RÉSUMÉ

1. Le rapport de l'arpenteur est sans équivoque : seule l'intention compte !

2. Désistement du juge LeSévère. Son remplaçant... Mon Dieu ! Son remplaçant...

3. Maître Gazaille avoue sa négligence : il n'est absolument pas prêt à se présenter devant La Cour.

4. Le P'tit Fouinard fait son faux témoignage.

5. Le Juge emmène la Cour sur les lieux du crime.

6. L'avocat donne sa langue au chat, Martin met le juge au fait.

7. Le pauvre Martin n'a pas fermé l'œil de la nuit, l'avocat s'enfarge dans les fleurs du tapis.

8. Le juge se dit très impressionné par le témoignage de Martin, mais nous finissons par céder et La Compagnie emporte le magot.

9. ...et tout est consommé. Nous sommes abandonnés en territoire occupé.

Chat échaudé craint l'eau. L'inverse est tout aussi vrai. Impunis, pour ne pas dire confortés dans leurs malfaisance, nos voisins ont développé un dangereux intérêt pour la chose judiciaire, « leur nouvelle façon de s'exprimer», a conclu Martin. Ils ont désormais leur entrée au Palais de Justice. Pas regardant, les Petitête! La moindre petite cause, le litige le plus insignifiant suffit à leur bonheur. Je lis régulièrement des entrefilets dans les journaux à cet égard. Parfois c'est la fille qui se trouve mêlée à une chicane de ménage, parfois c'est le fils qui menace son coloc de dommages exemplaires. Lorsqu'ils ont commencé à s'intéresser aux délits de droit commun — crimes passionnels, meurtres crapuleux —, nous avons cru à-propos de déménager. Ça ne s'est pas fait sans mal! Chaque pièce, chaque objet avait son histoire — mes carreaux bleus, mes carreaux jaunes —, et puis les vieux ne voulaient plus nous laisser partir! «Nous venions à peine de nous habituer», ont-ils dit. Sans compter la difficulté de trouver chaussure à notre pied, les autres maisons étant soit trop sombres, soit trop éclairées; il n'y avait pas de garde-robes, les armoires n'avaient jamais été refaites! «Pas de voisins, la sainte paix!» fait remarquer une dame qui offre une maison en location et qui a eu vent de notre histoire, qui n'a pas eu vent de notre histoire? On ne parle que de ça, en ville! Heureusement, après des mois et des mois de recherches, nous avons fini par trouver. La maison était petite, mal chauffée, mais en nous tassant les uns sur les autres, nous arriverions sûrement à la réchauffer. L'important, c'était qu'elle soit située dans un endroit sûr.

Un endroit sûr... Nous venions à peine d'entrer les derniers meubles que la Ford Impala des voisins pointait à l'horizon.

«Qu'est-ce que c'est que ça?» a dit Frédéric.

La voiture approchait dangereusement et les chiens se sont mis à japper, le ciel s'est obscurci, mais pas au point qu'on ne puisse voir l'indicible, Fernand Petitête cramponné au volant qui nous dévisageait d'un air narquois. «Content de vous retrouver» lança-t-il et Blouse s'esclaffait à ses côtés pendant que les fils et les filles, toutes générations confondues, se bousculaient à l'arrière. Les avions-nous traînés dans nos bagages comme nous l'avions fait pour les souris lors d'un précédent déménagement? «Ils ne cesseront jamais de nous harceler», a dit Martin, découragé. Il se trompait. Nous ne les avons plus jamais revus. Un mois plus tard, Françoise Fougère prenait ses cliques et ses claques et s'en allait finir ses jours sous d'autres cieux. C'est un jeune couple qui a acheté la maison. Et les vieux avec tandis qu'on y est! Habile de ses mains, Bruno s'est lancé dans les rénovations : le toit, les fenêtres, la cuisine, la salle de bains. Ils auraient beaucoup de vieux et seraient heureux jusqu'à la fin des temps, disait-il à Martine, qui redoublait de gentillesse auprès de ses locataires. Les travaux allaient bon train; d'ici quelques mois, tout au plus, ils auraient atteint leur vitesse de croisière. «Sky is the limit» disait Bruno, qui avait tout calculé, tout prévu, tout,

sauf Fernand Petitête que ces allées et venues du garage à la maison — entre, sort, pas une minute de répit — irritaient au plus haut point. « Avez-vous le
droit de passer par là ? s'enquit-il un bon matin. Votre
permis est-il en règle ? »

Le permis étant en règle, Fernand les pria d'espacer les coups de marteau. Ça faisait japper son chien.
Ne savaient-ils pas que son chien était atteint d'une
maladie de cœur ?

Ni Bruno ni Martine n'étaient au courant pour la
maladie de cœur. En bon père de famille, Bruno ac-
cepta néanmoins de ralentir la cadence. C'est là que
les choses ont commencé à se détériorer. C'était bien
gentil d'espacer les coups de marteau, mais les réparations n'en finissant plus, c'est tout le seuil de renta-
bilité qui était compromis ! Et la grogne s'est installée
parmi les vieux. Ils en avaient par-dessus la tête de
vivre dans les courants d'air. Ils avaient assez travaillé
dans leur vie pour avoir droit à quelques égards.
Comble de malchance, un vent soudain a emporté le
polythène qui recouvrait les panneaux de Plywood et
la pluie les a détrempés. L'assurance a refusé de payer,
la caisse s'est retirée du dossier. Martine n'a rien dit,
mais elle s'est mise à penser que Bruno n'était peut-
être pas l'homme de la situation. Et qu'est-ce qu'il
avait tant à faire le long de la clôture, ces jours-ci ? Les
filles Petitête y étaient-elles pour quelque chose ? Ah,
les hommes ! se dit Martine en soupirant. Un matin,
au terme d'une dispute particulièrement virulente,
Bruno a fini par avouer qu'il cherchait le long de la
clôture ce qu'il ne trouvait plus chez lui, à savoir un
peu de compréhension et de chaleur humaine ainsi

qu'une vie sexuelle plus satisfaisante, et il insistait sur la vie sexuelle plus satisfaisante. «Allez donc faire l'amour à un homme négligent», a riposté Martine, piquée au vif.

Ce qui devait arriver arriva, le couple s'est séparé et Martine est restée seule avec les vieux et les travaux qui n'étaient pas finis. L'hiver, le petit chemin bâillait sous la neige que les Petitête continuaient de pelleter envers et contre tous. Les inondations qui en résultaient chaque printemps se sont faites plus dévastatrices d'année en année. On voyait les tiroirs de commode flotter dans le sous-sol avec l'équipement de camping et quand Marie se présentait à La Municipalité pour réclamer de l'aide, les employés se la renvoyaient l'un à l'autre en disant qu'ils ne pouvaient rien faire. «C'est comme pour monsieur et madame Rioux que leurs voisins ont harcelés pendant des années sans qu'on puisse rien y faire! ont-ils dit. On ne peut rien contre la méchanceté des gens! Parlez-en à notre directeur! Il a été impliqué dans une lutte de pouvoir récemment. Rien de plus terrible que ces luttes de pouvoir dans une petite communauté», disaient les employés, histoire de justifier leur inertie. Quant aux agents Bradefer et Filedoux, ils ont obtenu leur transfert. Ils n'en pouvaient plus d'être appelés chez les Petitête à toute heure du jour et de la nuit. Comment? La Compagnie, dites-vous? Alors là, pas de problème! Bien qu'elle ait subi quelques revers lorsqu'une dizaine de ses pensionnaires ont été hospitalisés pour troubles gastriques graves en raison de la nourriture pas très saine qu'on leur servait à table, elle s'en est tirée sans trop de dommages, l'honneur sauf, comme on dit parfois, quoiqu'en affaires, il ne faut pas avoir d'honneur, répète toujours Le P'tit Fouinard. Je crois pour ma part que la tendance actuelle va plutôt vers des entreprises qui affichent un minimum de conscience écologique et sociale, mais je peux me tromper évidemment.

Guillaume dit que si Martine n'arrête pas de pleurer et que les inondations persistent, le petit chemin va bientôt se transformer en canal Lachine. Que dis-je, en canal Lachine? En lac, en mer, c'est tout le quartier qui sera inondé!

«Ce ne sera pas la mer à boire», a dit Frédéric qui croit que cette histoire ferait un excellent scénario de film d'action.

«Je m'y mets tout de suite», a-t-il dit.

Ils n'aiment pas Haïdn. Moi, quand j'écoute Haïdn, je me sens prête à refaire le monde. « Ils ne soupçonnent pas ce dont je suis capable », me dis-je. J'écrirai un livre, un livre qui sera à la fois beau et drôle, vaste et intime, riche et tragique. Pas question de me limiter à des petites considérations judiciaires comme se propose de le faire l'avocat lorsqu'il aura pris sa retraite, ce qui ne saurait tarder d'ailleurs, à voir la façon dont il s'enrichit sur le dos du pauvre monde, sans compter les intérêts, Seigneur, prêtez-nous vite les sous qu'on le paie rubis sur l'ongle, cet homme, ai-je dit à la caisse populaire, qu'il la prenne enfin, cette retraite tant désirée, qu'il débarrasse le plancher, qu'il cesse à tout jamais sa pratique dispendieuse, l'individu est potentiellement dangereux comme on dit parfois aux informations ; en ce qui me concerne j'écrirai un livre, un livre qui contiendra non seulement le récit de témoins oculaires, mais toute la poésie qui jaillit des faits comme j'ai lu quelque part, j'écrirai un livre qui résistera à tous les vices de procédure, dans lesquels il y aura non seulement des bons et des méchants, mais aussi le fleuve avec ses nappes de brume, ses chiens qui jappent, et puis Haïdn lui-même avec ses sonates, ses oratorios, un livre truffé de propositions alléchantes (peut contenir un peu d'amertume, veuillez nous en excuser), une trame si subtile, un travail si fin, si délicat que tout le monde n'y verra que du feu et si ça ne suffit pas, j'intégrerai de longs passages peints avec la bouche ou avec les pieds, rien de tel pour créer un monde, un monde dans lequel notre voisin n'aura qu'un petit rôle à jouer, presque rien, une figuration, mais comme je suis une nature généreuse, je lui accorderai de bien le tenir, ce rôle, si petit soit-il. S'il s'agit d'un rôle d'un pot de chambre, il sera bleu, avec une belle lumière oblique qui viendra lui mourir dessus comme sur une toile de Chardin ou de Vermeer, et s'il s'agit d'un rôle d'ortie, elle piquera bien proprement, cette ortie, sans faire de saletés, et personne n'en sera blessé outre mesure, ce qui n'est pas le cas maintenant, car nous avons tous été blessés outre mesure, d'ailleurs presque tous ceux qui le connaissent ont eu à souffrir des agissements du voisin, à commencer par ses étudiants qui n'ont rien pu apprendre pendant des années !

Voilà en ce qui concerne le livre. Pour le reste, le Robert est volubile : soit qu'il appelle les choses par leur nom (filouter, délester, plumer, refaire, rouler), soit qu'il apporte des nuances. Vous êtes témoins, non ? À votre avis, avons-nous été floués, dépouillés ? Nos voisins ne sont-ils emparés de notre bien ? À moins qu'ils ne se soient contentés de le soustraire... Parler de pillage serait exagéré, mais prendre conviendrait peut-être. Tendre la main et prendre, s'approprier, voilà qui est franc et direct ! Extorquer* ne serait pas mal non plus, car c'est bien d'extorsion

* « Regarde, c'est écrit, ai-je dit à Martin. **Extorquer:** obtenir (qqch.) sans le libre consentement du détenteur (par la force, la menace ou la ruse). Extorquer à qqn. une signature, de l'argent. Obtenir par une pression morale. "Qqn." c'est nous ! » ai-je dit.

qu'il s'agit ici, avons-nous conclu au lendemain de ce procès qui n'a pas eu lieu, faute de juge !

Il y a aussi ravir, chaparder, chiper, chouraver, faucher, piquer, rafler, ratiboiser, griveler, usurper, détrousser, dévaliser, gruger, arnaquer, pigeonner, duper...

Celui que je préfère, c'est ratiboiser.

« Plus on est bon, plus on est vite ratiboisé », a dit Giono.

«Le Bâtonnier recherche des histoires d'horreur», était-il écrit dans le journal. J'ai tout de suite pris le téléphone pour leur raconter ce qui nous est arrivé, l'avocat qui a mal procédé, le juge qui a refusé de faire son travail, nous opposant une fin de non entendre alors que, de son propre aveu, il était payé pour nous écouter, et grassement encore! Je parlais, parlais, j'étais si heureuse de pouvoir enfin tout raconter, laissez-moi vous dire que ça coulait de source pour une fois, mais la réceptioniste m'a interrompue pour me demander si j'avais bien lu l'article, ce à quoi j'ai répondu que non, que je m'étais contentée de lire le titre et que ça m'avait paru amplement suffisant, je ne doutais pas qu'ils feraient quelque chose de bien avec notre histoire d'horreur afin qu'elle ne se reproduise plus et que nous soyons dédommagés de nos peines, ne serait-ce que moralement, car cette affaire, c'était une sorte de cancer qui nous rongeait l'âme, mais que vaut une âme, de nos jours? a dit Martin, et aujourd'hui encore, lorsque je marche en forêt et que je pense à ce juge-là, ce grand refuseur d'entendre qui nous a lésé dans nos droits les plus légitimes, aujourd'hui encore, lorsque je me laisse aller à penser à tout cela en marchant en forêt, je ne peux m'empêcher de m'arrêter et de dire: «Oh, que j'ai du chagrin», mais bien que j'aie parlé tout haut, il n'y a personne pour me répondre. Les arbres se tiennent coi. Seuls les trembles osent bouger doucement leurs feuilles, un prix de consolation! Un oiseau chante, un autre s'envole, et se dérobe. Ils ont beau chanter, les oiseaux, je ne suis pas dupe! Tous les jours je les vois se chicaner dans la mangeoire. Ils ne cessent de se donner des coups de bec. Les plus gros contrôlent l'accès aux perchoirs. «Comment? Les oiseaux aussi?» me suis-je dit, muette d'étonnement, la première fois que j'ai vu les tarins des pins se précipiter sur les chardonnerets. On aurait dit Fernand Petitête tellement ils y mettaient de l'audace et de l'obstination. Bande d'effrontés! Ah, ils ont beau chanter et gazouiller joliment, les oiseaux, ils ne réussiront pas à m'émouvoir. «Je vous ai vus», leur dis-je; même que ça m'a rappelé le P'tit Fouinard! Se parjurer ainsi devant le juge et son ombre, alors qu'il n'en avait nul besoin, une sorte d'avertissement à notre endroit! Sache que je t'ai vu, P'tit Fouinard, bel et bien vu, et ça n'était pas très joli à voir ni à entendre, croyez-moi! Avec cette voix de fausset qu'il a, le P'tit Fouinard, une voix avec des hauts et des bas, *Mary quite contrary...*

Bon! L'affaire est close. Justice n'a pas été rendue, mais l'affaire est close. Une lettre de La Cour nous avise qu'à défaut de nous présenter en personne pour les récupérer, les pièces seront bientôt détruites. «Ce n'est pas possible, ils ne peuvent pas faire ça», ai-je dit à Martin. Toutes ces pièces que j'ai eu tant de mal à réunir: lettres, certificats, actes d'achat et contrats divers, nos chagrins, nos regrets, nos inquiétudes, et ces interminables plaidoiries que j'adressais tantôt au juge, tantôt à l'avocat, les *je comprends que* de Maître

Vandal à son homologue, les huissiers qui ouvraient solennellement les portes, «du temps partiel», expliquait l'un d'eux, bon juste pour un retraité comme lui, tout cela parti en fumée, pêle-mêle et conjointement, sans égard pour personne, sans la moindre considération pour nous, pour les générations futures, sans aucun espoir que quelqu'un découvre un jour le pot aux roses et qu'on nous rende enfin justice, ne serait-ce qu'à titre posthume ou par contumace comme cela se produit parfois dans les pays civilisés ou non.

« Un juge comme celui-là, ai-je dit à Martin, ça se dessine davantage que ça ne s'écrit. Je parie d'ailleurs que si c'est toi qui t'en charges, le juge y gagnera en joliesse, au point de devenir presque acceptable humainement parlant. »

C'est vrai! Bien qu'étant généralement impitoyable pour la triste nature humaine, Martin se montre toujours très généreux dans ses dessins. Ses personnages sont parmi les plus touchants qui soient, « badauds ébahis et naïfs », a dit un critique, un jour. Je vois d'ici le portrait qu'il nous brossera du juge : un juge dodu, les fesses serrées dans son complet à rayures, avec des petits souliers vernis. La bottine souriante, me dis-je.

«D'abord de dos, ensuite de face», ai-je commandé au dessinateur, qui a cru bon de faire ce que je lui demandais pour une fois.

Une fois n'est pas coutume.

Fini d'écrire
le 11 septembre 2001
à Sainte-Catherine-de-la-Jacques-Cartier
GOODBYE FAREWELL

# LES PERSONNAGES

1) LEBEAU, MARTIN, artiste méditatif et contemplatif.

2) LE VOISIN: Fernand Petitête, également appelé L'Infâme (ou voisin de gauche). Un être malfaisant, doué d'une épouse malfaisante. À ce sujet, les avis sont partagés. «C'est elle, le problème!» disent certains. Une interprétation trop réductrice à mes yeux, à laquelle je refuse catégoriquement de souscrire. À eux deux, Fernand et sa femme (Blouse Goyette) sont les grands responsables des troubles qui ont secoué tout le quartier, ces dernières années. Il semble qu'ils soient désormais interdits de séjour en Nouvelle-Écosse, mais l'information n'a pas été confirmée, les gens se contentant généralement de hocher la tête. Certains pensent que nous aurions dû en faire autant; ils reprochent aux élus municipaux d'avoir manqué de vigilance. Le fait est que s'ils s'étaient montrés ne serait-ce qu'un tantinet plus suspicieux, la guerre de Troie n'aurait pas eu lieu. (Rien ne sert de guérir, il faut prévenir à temps.)

3) FOUGÈRE, FRANÇOISE: la voisine d'en-avant. Une femme charmante! Passionnée d'immobilier. «J'aime les maisons, dit-elle. J'en ai acheté je ne sais plus combien dans ma vie!» (On est puni par où l'on aime.)

4) LECOMBLE, CHARLOTTE: l'ancienne voisine, auteure de Fernand Petitête. Si elle n'avait pas vendu ses terres... (Avec des si, on mettrait Paris en bouteille.)

5) FRANCHE, CLAIRE: ancienne voisine d'en-avant. Auteure de Françoise Fougère. Mérite bien son entrée dans ce lexique, ne serait-ce qu'en raison de la grande générosité dont elle a fait preuve lors de sa rencontre avec l'avocat.

6) LE P'TIT FOUINARD: enseignant de son métier. Difficultueux personnage s'il en est. «En affaires, il ne faut pas avoir de cœur», explique-t-il. À ce que je sache, il n'y a pas là matière à enseignement.

7) LEPOÈTE: les cordes dans *La Traviata*. Acte deux, scène deux.

8) NI-VU-NI-CONNU: l'absent de taille. Martin a eu la malchance de le rencontrer à quelques reprises depuis le début des hostilités. Le pauvre aurait bien aimé s'abstenir, mais l'autre n'a eu de cesse qu'il ne lui ait serré les mains de toutes ses forces, en souriant de toutes ses forces. «Il joue au brave homme», a dit Martin.

9) MAÎTRE GAZAILLE: 100, rue de la Cambuse. Intelligent, mais vantard. Ne répond pas quand on l'appelle.

10) MAÎTRE VANDAL, dit *Gamique*: l'avocat adverse. Un mètre quarante-cinq. Ses papiers ne sont pas toujours corrects corrects.

11) L'ARPENTEUR: le nôtre est bien un peu hirsute, un peu bougon, mais il a le cœur tendre. Nous le recommandons fortement à tous ceux pour qui les services d'un arpenteur sont requis. (123) 456-7890.

12) OVIDE DE BASSE-SOUCHE, B.Sc. A. A. G. L'arpenteur adverse. Inventeur du résidu.

...et tous les autres : Carole, Marjorie, Blanche et Henri, mesdames Chateau et Soulard, Étienne et Rémi Sans-Chagrin, monsieur et madame Talbot, Stain Less et Marthe Préault, Alexandre Préault, architecte stagiaire, le vieux Schnock, Lucette et Antoine Chaînon, Jacques LaCourse, historien local, les agents Bradefer et Filedoux, madame Pimparé, messieurs Charlebois et Le-Riche, notre auteur, Thomas Song, la Dame avec un beau col de dentelle, Prude, à la caisse populaire, Bruno et Martine, de même que le très honorable Arthur Buies ainsi que Guillaume et Frédéric, nos deux fils, sans oublier Maître Candide Verchères, notaire des uns et des autres, sans qui je n'aurais pas eu le bonheur d'écrire ce livre.

*Nos remerciements aux habitants de la petite ville de ... pour leur précieuse collaboration.*

CET OUVRAGE, COMPOSÉ EN PALATINO 11/15,
A ÉTÉ ACHEVÉ D'IMPRIMER SUR LES PRESSES
DE MARC VEILLEUX, IMPRIMEUR À BOUCHERVILLE,
EN MARS DEUX MILLE DEUX.